新潮文庫

R 62号の発明
鉛の卵

安部公房著

新潮社版

2203

目次

R62号の発明・鉛の卵

Ｒ６２号の発明

死ぬつもりになって歩いてみると、町はあんがいひっそり、ガラス細工のように見えた。

Ｓ区のはずれに白くにごった運河があった。コンクリートの堤防は、ちょうど肘《ひじ》をついて時をすごす高さだ。下駄やキャベツの皮や猫の頭が流れていく上を、イカダをひいたモーター・ボートが通りすぎると、急に日がくれた。

鉄橋の上で、吸いさしのアメリカタバコをひろった。人通りをさけ、運河にそって行くと、やがて目を大きくあけて眠ったような、倉庫の谷間……街燈《がいとう》の下を、風にのったつむじ風が、ちょろちょろ走りまわっている。そのつむじ風が倉庫の顎《あご》をくすぐったので、油じみた扉を大口にあけて、キキキと笑った。それは人夫が三人がかりでおしつけなければ閉まらない、笑い上戸の扉だった。

さて、間もなく、飛込むには絶好の場所がある。引込線の端が運河の中につきだした、そのあたりから、海と同じ深さになるのだという。《自殺おことわり》……そんな貼札《はりふだ》までしてあった。

（靴をぬいだほうがいいのかな？）

対岸の、高い煙突のうえで、航空燈台のランプが点滅していた。その下の水門から、小型蒸汽船が不器用にはいだしてきて、ふきあげた火の粉は、船がいってしまってからも、ながいあいだ消えずに空中に浮んでいた。

（……一般にはぬぐのがふつうらしい）

だが結局、靴はぬがないでいいことになった。呼びとめるものがあったのだ。

みすぼらしい制服の学生だった。

倉庫番でも夜警でもなかったことに彼はほっとした。話したいことがあるというので、すなおに応じると、すみませんと言って学生は幾度も頭をさげた。アルバイトなんですと前置して、なぜ死のうとしたのかわけを話してくれという。彼は心理学の資料調査だろうと想像した。

「つまらないことですよ」と彼はぼんやり笑った。「機械の設計をしていたのですが、アメリカの技術出資がきまり、仕事がなくなりましてね。死んだって解決にならないくらい、分ってるが、ぼくみたいに専門化しちゃうと、まるで弱虫になるんだな。死ぬつらさより、生きるつらさのほうが、大きいのです」

学生はうなずき、いかにも自分の立場をさげすむふうだった。それじゃ、と言いかけて、なにかためらい気味に、うつむいてしまう。冷えますね、水の中も寒いだろうな……そう呟《つぶや》いて彼は学生に二人のおかれている状況を想出《おもいだ》させてやった。

学生は上目づかいに彼を見た。「言いにくいんですが……」すまなそうに小声でいい、言いだしてみると勇気もでてくるらしく、急にすべりのいい早口になって「思いきって言ってしまいます。実は、ぼく、自殺者から死体をゆずりうけて事務所に紹介し、手数料をもらうアルバイトをしてるんです。それで、ぜひあなたにも、死体を売っていただくように、たのもうと思って……」

「ばかげた話だ」彼はむっとして、言いすてたまま、立去ろうとした。透明だった世界が、たちまち色づいてくる。彼は自分にまだ生きていることを想出させた相手が、踏みつけると白いはらわたをはきだして平たくつぶれる、学生服を着たかぶとむしかなにかであればいいと思った。

「許してください！」言いすがった学生の腕力はかなりのものだった。腕力だけじゃない、つかんだ彼の腕を次第に内側にねじりこむやりかたはたしかに技である。そうなんです……と思いつめた語気もはげしい。ぼくも前から、変なアルバイトだと思って、悩んでいました。でも、アルバイトのえりごのみをするなんて余裕はありません。あればしがみついていなければならないんです……さからえば肩の関節がはずれそうだった。死の覚悟が肉体の苦痛をやわらげるなどというのは誤解である。むしろ覚悟の安定が破られた屈辱で倍加されるにちがいない。

「ぼくが死んでから、勝手にすりゃいいじゃないか」

「いや、そうじゃないんです。死体と言っても、本当はまだ生きたままのやつことなんです。生きたまま死んだつもりになっていただいて……すみません、ぼくもはじめは悪魔のような仕事だと思いました。でも、ぼくはただのアルバイトで、詳しいことは分りませんが、ともかくあなたは衣食住が保証されるらしいし、契約のとき職業が問題になるところをみれば、やはりなにかそんな仕事につくことになるんじゃないでしょうか。生体実験の材料じゃないことが分って、とても気が楽になったんです。考えてみると、ぼくたち、生きてるか死んでるかのどちらかに割切ってしまう常識論に、こだわりすぎていたと思うんです」

ふいに学生が叫声をあげて彼を押しのけた。毛を逆立てた大きな鼠《ねずみ》が二人の足もとをゆうゆうと走りすぎた。ぼく鼠が大嫌いなんです。学生は混乱をしずめようとしてかえって余裕を失うらしかった。すみません、ざっくばらんに言ってしまいます、とってもつらいアルバイトなんです。近頃はアドルム自殺がはやって、場所もでたらめだし、死にぎわを見つけるのは容易じゃないんです。鉄道自殺も率からいえば多いんですが、あれはなにしろむやみに長くてね、目うつりがしちゃうんです。割に場所の見当がつきやすいのは、なんといっても投身自殺ですけど、これには失恋や家庭問題が多く、事務所じゃとってくれません。失業じゃなきゃだめだというんです。だから、ぼく、ここをさがしあてるのにずいぶん研究しましたよ。一週間もはりこんでました……。

運河から湧《わ》いた霧がちぎれて倉庫のあいだに吸込まれていった。ブルンブルンとなにかが鳴っている。何がこんなに不安なのだろう？

もしあなたがウンと言ってくれれば、すぐお渡しすることになっている、手附金の千円を今ここに持ってるんです。でも、だめだとおっしゃるなら、いっそのこと使いこんでしまって、ぼくが自分で自殺志願者になるつもりです。

「いったい、君の手数料はいくらなの？」同情したのではない、不安なのだ。霧はまるで彼が来ないのをうらんで呼びにきた運河の精霊みたいだ。……二千円です。それに、やはりぼくのかんはよかったと思うのですけど、ちょうどいま機械技師の特別募集をしてるので、割増金が千円ついて、三千円になります。ぼくは、それで、三週間も暮せます……。

「なにも君に同情したんじゃない」つい思っていることが口にでる。

「すみません」学生はあわてて手帳をくり、きちんとたたんだ千円札を、まるでその千円札が独りでに動きだしたかのような手つきで、差出した。受取りながら彼も、おれは自分の行動を半分しか意識していないと思った。千円札と彼の手は、はじめから見えないゴムで結びつけられていたような具合だった。

「事務所は夜中の零時きっかりに開くんですが……」学生は、千円札が自分の手に舞戻ってきはしまいかという不安から、いっそう臆病《おくびょう》になり、「それまで、わずかですが、あたたかいものでも食べていただくか……ただ、こちらのおねがいとしては、床屋で、できるだけ頭を短く刈ってきてくれということで……あの、イガグリ頭ですね。変な注文だと思うんですが、ぼくの考えでは、所長が戦争中かなりの軍人だったといいますから、そんな加減の趣味じゃないかと……」

千円札の手ざわりには確実な安定感がある、うすっぺらな紙切れだが、餓えてひからびたおれをのっけるためになら、不沈戦艦ほどの値打がある。おれはこの船に乗るためにわざわざ運河までやってきたのだろうか？　自殺の目的を死ではなく脱出だと考えれば、これがかえって自然な道順かもしれない……。

どちらからともなく二人は歩きはじめていた。橋の上で高級車に追いぬかれた。ガソリンの臭《にお》いって、ほんとにいいにおいですね、なんだか現実の栄養分みたいだ、と学生がはしゃいだ。おれは死人なんだよ……二人は黙って足を早めた。

町が見えはじめたところで、学生が立止って言った。ありがとうございました。ここでお別れします。柳の下にどじょうはいないと申しますが、ぼくはまたあそこに帰って、夜中までねばってみるつもりです。ありがとう、〇時にまた事務所でおあいしましょう。それから、このカードをお持ちください。R62号と入ってますね。あなたの番号です。裏に地図が書いてありますね。〇時ですよ、お忘れないように、うちの事務所は深夜営業なんです。

三階建の旧式なビルだった。玄関に学生が待っていた。暗い廊下のつきあたり、閉めきった明るすぎる部屋、ぬりかえたばかりの壁に、二列にならんだ蛍光燈の光がとけこんで、壁と空気の仕切が消えるようだ。壁のしみだした空気は固い。

おそろしく高いハイヒール、金？　の耳輪、縁なし眼鏡、一見して秘書と分る短いタイトスカートの女がドアを開けてくれた。酔ってるなと思ったが、それは変に色素のすくない皮膚と、粘膜のようなまぶたのせいだったかもしれない。

ガラス張りの事務机のうしろに、うすい鼻ひげをはやした運動選手のような男が、長いパイプを指にはさんで、唇の正面からしずかに煙をふきあげていた。煙の柱の両側に、ちゃんと二つの目玉が見えるほど、目と目の間が離れていて、愚かにもみえるが、動物的なずるさとも受けとれる。

契約係の草井さんです、と紹介しながら、学生がカードを渡すと、ようこそ、と太い声で、しかし体はすこしも動かさず、彼のイガグリ頭にちらと目を走らせながら、R62号君ですね、わざと名前は聞かないことにして、これからそう呼ばしてもらいますよ……ペンの尻《しり》をふりながら、死因と職業をたしかめ……失業で、ふん、機械技師、そりゃ大したものだ、まったく、失業で死んだインテリくらい、純粋で人間的なものはありませんからな。それじゃ、花井さん……と秘書をよび、ペンと用箋《ようせん》を渡して、サインしていただきなさい。

受取ってみると、ただの白紙なのである。R62号君は、これではたまらぬと思い、なんのサインでしょうか？　すると草井はなにくわぬ顔で、分りません、ただそういう規則になっているのです。要するに君が当方に死体をゆずりわたすことを承認したというしるしでしょう。私は単なる一契約係にすぎませんから、詳しい意味は分りかねますが、こんな具合にも考えられますね。法は不知をゆるさずという言葉がある。つまり人間の側から言えば知る権利と義務を意味してる。ところが君はどうですか、これから死のうというんじゃないですか。それは法の外に出ることだ。つまり自ら不知を要求したわけだ。

誰がちがうと言えるだろう？　サインがすんだ。さあ、これで君も一人前の死人です……満足そうに草井の脚が、ズボンの縫目がのびるほど、机の下いっぱいにおしひろがった。

お手柄だったね、また一つたのむよ……そう言って、草井が学生に金をわたしてやる。学生は草井と花井の両方にまんべんなく頭をさげ、「お元気で」とR62号君にも言いわすれない。斜めに出ようとするところを、そう、いいことを想出した、と草井がまたよびとめて……「株の変動からみた自殺者の統計」というこんど出た私の本、買っていかないかね。ぜひ読んでごらんよ、実に有益な書物だ。

花井はタイプの前で爪《つめ》の手入に余念がない。組んだ膝小僧《ひざこぞう》がゴムのように光っていた。草井はパイプを絹のハンカチにくるみ……事務的な時間がすぎて……、「では次の係に御案内しましょう」草井がR62号君をうながして立上った。「ちょっとした手続をふんでいただくのです。まあ、死亡確認の儀式だと思っていただければよろしい」……それで？　と言いかけてR62号君はあわてて飲込んだ。おれはもっと生きている死人という環境になれなければいけない。あくまでも死人であるということが、おれの値打なんだ……

それでも不安は水の中のゴムマリのように、飲んでも飲んでもすぐまた飛出してきた。水に浮んだ自分の死体を思いうかべて、やっと蓋《ふた》をする。

思いきって一つだけ尋ねてみた。Rというのはなんのことです？……それはね、と草井が言った。ロボットの頭文字ですよ。


いったん外に出て、裏口にまわった。草井が懐中電燈をもって先に立ち、せまい階段を案内していった。古タイヤがはってあるので、足音はしない。時折やぶれたゴム靴をふむような音がした。のぼりきったところに、物置のようなおどり場があって、つきあたりのドアをノックすると、あたりの見すぼらしさにくらべて、これはまた立派なドアだ。防音装置でもしてあるのか、尻すぼみに吸取ってしまう。異様な静けさがじんと耳をうち、これじゃ人殺しがあっても分らないと思う。草井がいらだって靴でけりり、だから早くベルをつけろと言ってるんだ、いまいましげに言ったとき、ドアが開いて……まるで壁がおしだされてくるみたいだ。そのドアの厚みに、R62号君は胸苦しくなった。

出迎えたのは花井そっくりの女だった。いや、口紅の色が変ってみえたので勘ちがいしたのだ。花井も懐中電燈をもち、目に入らぬように下をむけ、ハイヒールがラッカーを吹きつけたブリキのように光った。停電ですか？　とR62号君が無理に平静をよそおってたずね、しかし草井はそれには答えず、たのんだよ、と言いおいてすぐに引返した。おはいんなさい、と花井が鼻にかかった声で言った。

　隅っこにほこりだらけの椅子《いす》が一つ、窓のないガランとした小部屋。花井が懐中電燈を天井にむけ、光を自由に強くしたり弱くしたり調節してみせて、新式よ、と得意そうに言った。ひきむしられたコードが一本ぶらさがっていた。四隅には古いクモの巣がぬれぞうきんのようにこびりついていた。

　待っててね、花井がツルのような腰つきで反対側のドアから出ていった。ハイヒールに歩かされているのだ。振向いてちらと微笑《ほほえ》んだような気がした。それに、暗い部屋で若い女と二人きりだったということで、つい気が強くなって、技術者というものはつぶしのきくものだからな、しかしすぐに死人だったことを想出し、気をゆるすのはまだ早い……Rというのはロボットの略字だと言った草井の言葉が、草むらに逃込んだ蛇のしっぽのようにちらついた。

　それに、おかしな部屋じゃないか、ずっと使っていなかったのを、彼のために臨時にあけたのではないかと、疑って疑えぬこともない。なにか運命を予知するしるしでもと思い、マッチ箱をさぐってみた。二本しか残っていなかった。一本目はつくとすぐに消えてしまった。ほこりのういた床に点在する足跡がかろうじて見えた。二本目はしめっていてなかなかつかない、頭を指でつまんであたためてみたりしたが、うまくいかず、ポロッと落ちてしまった。

と同時に、どうぞ、とドアが開いて懐中電燈がまねいた。二分ぐらいしかたっていない。このすばやさは気にいった。ビジネスにとって簡潔にまさるものはないのだ。大工場の窓ガラスが半分以上こわれているのを見るがいい。

やっと一人が通れるくらいの、まがりくねった廊下、壁の中につくったかくし廊下らしい。腐ったワラを乾したみたいじゃないか、こんなにはっきりホコリのにおいをかいだのははじめてだ……ところどころ鉄筋の端がむきだして指のようにみえた。

妙にほそながく、殺風景な部屋に通された。ここにも窓がなかった。ダイダイ色の裸電球が二つ、中央に白い布をかぶった土葬用の棺桶《かんおけ》ほどの箱、そのわきに高い脚のついた照明具、たしかに自分の葬儀に立ちあうのだとR62号君は想像した。目がなれるにつれ、うすぐらい正面の粗末な長テーブルに、強引な姿勢で男が一人こちらをにらんでいるのに気づいた。「所長さんよ」と花井がささやいた。さらに、斜うしろの壁ぎわに、組んだ膝に頬づえをついた男がいた。草井である。なんてまわりくどいことをするんだ、とR62号君は思った、まるで道化ているじゃないか……。

「よく来たね」と所長がつやのある女性的な声で、しかしおそろしく事務的に言った。R62号君がさきに進もうとすると、このままで、と花井が注意する。決心はついたかい？　と所長……。R62号君は、ただうなずいてもよかったのだが、こうしてみればこの事務所の財政状態もそう豊かじゃなさそうだし、相手の力を過信して、一方的にしゃべらせておいたのでは、しまいにとりつくしまもない結果になってしまうと思い、「およそ決心はしたのですが……」ふくみをもたせたつもりで言葉をにごすと、所長は意外だという表情で、「私はただ儀礼的な意味で言ったまでだ。およそ、とはおそれいったね。正確に言えば、決心なんて言葉は適当じゃない。死人にそんな選択の余地がのこされていると思うのは、甘やかされた誤解だよ」R62号君がむきになって、しかし、自殺だって、自由意志です……失業は自由意志じゃあるまい、と所長は相手にしない。

自由だなんて、くだらない……うそぶきながら所長は前においた小箱をあけ双眼鏡をとりだした。それが合図のように花井が例の棺桶？　の白布をとった。するとそれは奇妙な、おそらくギブス・ベッドと思われる、装置附の寝台だった。それからR62号君のところに戻ってきて、うしろから斜めに腕をひき、どうぞ、といたわるように言う。反射的にふりほどこうとしたが、かえってからみつく恰好《かっこう》になり、二人は変にもつれあったまま、壁ぎわまでよろめいた。そのとき、どういう加減だったか、R62号君の袖口《そでぐち》のボタンが、花井の耳輪にひっかかり、ぞっとするような叫びと同時に、R62号君はしたたか指先にくいつかれた。所長が双眼鏡をのぞいて、ばか、と一言《ひとこと》つめたく言った。

「じたばたしなさんな」と草井が笑いをふくんだ声で、「もうサインもしちゃったんだし、喧嘩《けんか》すぎての棒千切というじゃないか……」うしろから両肘をつかんで、鶏をしめあげるように、軽々とベッドにはこびあげる。花井がR62号君の手足に次々と手錠のような金属の輪をはめこんだ。つづいてベッドのわきに装置したハンドルがひかれ、足をつかんだ輪はそのままベッドに固定し、手首をつかんだ輪は次第に外に手首をひくので、R62号君はベッドの台を背負うような姿勢で動けなくなってしまった。さらに幾本もの革バンドでしめつけようとする。R62号君は叫んだ……何をするんだ、やめろ！ よさなきゃ、わめくぞ！ ありったけの声で、いつまでもわめいてやるぞ！

その声をふき消し、なぐりつけるように、ライトがギラッと光り、彼は透明になって行く不安にすくみあがった。双眼鏡から目をはなした所長が言った。「不愉快なやつだ、見かけは腹をすかした真面目《まじめ》そうな男なのに、だれも頼んでいるわけじゃないんだから、いやならいやとはっきり言えばいいんだ。君も見たはずだが、あの入口の部屋、われわれが還元室と呼んでいるわけが分るかね？　たとえば君のような分らずやの希望にそうため、わざわざ設計したものだ。あの椅子と電線で、おまえさんの望みくらい簡単にかなえてあげられるよ。もしあんたがわれわれの勧誘をうける幸運にめぐまれなかった場合、当然たどっていただろう状態に還元してやるんだ……さあ、どっちにする気かね？」

もっとすなおにならなきゃだめよ、と花井が言い、いい、ひつぎを覆《おお》って事さだまるというじゃないか、と草井が言い、R62号君は固く目をとじた。ついでに心の目も閉じていた。たぶん睡眠発作というのだろう。

「おい、動いちゃだめだよ」太い呼声にR62号君は我にかえった。しかし、激しい音と光にしめつけられ、まるで体の自由がきかない。リベットと旋盤の音、熔接の光、金属の焼けるにおい。……工場にいるんだなと彼は思う。なぜか、塀の穴から外の陽《ひ》溜《だま》りをながめたような、厚い幸福感……失業だなんてどうして……あんないやな夢を見たんだろう。ところでおれは、何をするんだったたっけ？　サーブリグ表をもって設備課に行くんだったかな？　複合自動旋盤のタレットヘッドの図面を、今夜の技術委員会までに仕上げなきゃならないんだ……失業だなんて……そう、組合の役員選挙は細胞に入れることにしよう……。

「あぶない！」

焼けた鉄塊が油タンクにころげこむような音がした。岩石を引きはがすような音だった。実際それは、とりかえしようもない現在にかぶさった幻想を、ひっぱがす音でもあった。

「君、動いちゃだめだって言うのに！」

殺気をおびた現在が彼につかみかかり、叫んで逃げようとしたが、五億年前の樹脂にとじこめられた昆虫のように、微動もできない。目をあけて見た。手術着に身をかためた二人の男と看護婦がのぞきこんでいた。

そうだ、おれはベッドにくくりつけられているのだった。熔接の火と思ったのは、ライトの光、金属の焼けるにおいだと思ったのは……たしかに血のにおい……肘《ひじ》をまげて、ささげるようにした三人の手が、真赤にぬれて光っている。一人はピンセットと薄い鋼鉄のヘラのようなものを、いま一人の草井は先のまがったフォークのようなものを、看護婦は器具を入れたステンレスの皿と、血をすってふくらんだスポンジを、それぞれ敬虔《けいけん》な手つきでささげていた。

「動くと、死んだ死人になっちゃうぞ」

所長の声だ。机にのぼって、双眼鏡でこちらをのぞきこんでいた。こっけいだと思い、すると呼吸が楽になった。

ピンセットとヘラをもった小肥《こぶと》りの男がうなずいて、はじめ、と囁《ささや》いた。三人の手がいっせいにR62号君の頭上にのびる。どうやらここではその男が指揮者らしい。

「何を……」しているんですか？　と言おうとしたが、唇が乾いてあとのほうは言葉にならず、なめながら、目で問うと、いま頭蓋骨《ずがいこつ》にドリルで穴をあけ、糸ノコを入れてひきおわったところだ、これから頭蓋骨をはがすのだと、若やいだ張りのある声で男が答えた。R62号君はすくみあがり、体が半分にちぢまったような気がした。なんていう目にあうんだ、これじゃ死んだ死人のほうがよっぽどましじゃないか！　運河のほうがどれだけ寝心地のいいベッドだか分りゃしない。

鼓膜の上で小蠅《こばえ》が鳴いている。痛い声……パラフィンをぬって……スポンジ……そらそら……ゾンデ、メス……「脳硬膜を開けるところだ」と男が目ばたきで知らしてくれた。

「いったい、どうするんです」

「シッ、動くな！」と机の上から所長がどなった。

「ドクトル、痛い目にあわしてやんなさいよ、しようがない豚だ」

まったく豚だ、とドクトルも言った。うからかしてるといっちゃうよ、そら前頭葉がみえた、脳圧が高いね、吸引器！　5号ベラ……トウフの腐ったような色をしているよ。太い血管が回転の中を海草の根のように這《は》いまわっている。その中を血が流れているのが見える。不思議だろう、これが君なのか、それとも君がこの一部なのか……どうだ、ハムレットのセリフなんかよりずっといいじゃないか、ハハ……それ、どうだい、世界がゆがんで見えないか？　5号ベラで、君の脳をひっくりかえしているんだ。脳下垂体が見えてるぜ。面白いもんだねえ……。唾《つば》がかかるぜ、ドクトル、と所長が注意したが、いや脳組織というやつは不思議に強い抵抗力をもっているんでね、脳が化膿《かのう》したなんてことはあまり聞かないでしょう、かまわないんだよ、とドクトルは平気で喋《しゃべ》りつづけ、R62号君は気が変にならないのをまったくいまいましく思った。「さてここが腕の見せどころ、生きるか死ぬか、紙一重……と、うまくいったね、やはり腕だね、ちゃあんと生きてるじゃないか。ハハ、死人のくせに生きてるなんて、ユーモラスじゃないか。次はタラムス……ちょいとつまんでみよう」

とつぜん激しい怒りがこみあげてきた。R62号君は思いきりうめいてやった。町中にはりめぐらした電線の弦を、季節風の先ぶれをして駈《か》けまわる木枯が、その乾いた爪でかきならしたように……それから唐突に風がやんだ。色ガラスの粉につつまれたような寂しさ……ハハ、びっくりしただろう、とドクトルが笑った。タラムスをちょいとつついたんだ。ごらんのとおり、くだらん下位中枢《ちゅうすう》でね、こういうものは抑制しちゃったほうが理性の純化にいい。ロボットは要するに純粋理性のことだからね。「許して下さい、そんな無茶はしないで!」R62号君は哀れっぽく叫んだ。さらに、ちょいとつまめば、そら、と小男が言った、もう何んでもないだろう。すると本当に、手ぎわよく皮をむかれたような感じで、全世界が透明になり、地平線だけが残ったような気がした。「もうぼくは、感情がなくなったのですか?」……「そんなことはない、ただ純化されただけさ。さっぱりした気分だろう?」……「青いしずくが、どこからともなく、規則正しい間隔をおいて、ふってくるみたいだ」……詩的なことを言ってやがる、ハハと小男が笑って、しかしこいつは発見だな、詩人の製法が分ったよ。

さあ、いよいよ加工作業だ、とドクトルが吐出す息といっしょに言った。吸引器をひいて……3番のカンシ……コルプス・カロースム……所長さん、見えるかい、これが左右半球のつなぎ目だ。一種のケーブルだね。全部の皮質連合系がここを通っている。左右の電位差で動作電圧をつくりだす連結部だ。演説ぶつときに必要だから、よく憶《おぼ》えておきなさいよ。ここに……スポンジ！……本社のカリフォルニヤ工場でつくった人工コルプスを……ひいて、吸引器をひいて、プルス61、圧正常……人工コルプスをピンセットではさんで、そっちが上、ゆっくりおろして……よしと、それからセプトゥムを切りとったあとに、感応板とB真空管……偏電レンズ……白金線の、ちがう、31番のやつ、つないだら、ゆっくりまわして……。

手術は次第に困難を加えてきたらしい、とぎれとぎれの聞きとりにくいつぶやきに変り、カチカチ器具のぶつかりあう音だけが、時間の密度をふかめていく。しばらくして、誰の口からともなく、菫《すみれ》色の夜明の最初の小鳥のような、軽やかな吐息が飛立って、どうやら一仕事すんだらしい。さあもう五分、とドクトルが明るく言った。

「フィルターをカプスラ・インテルナに植えて……白金線をつないでくれ……と、これで仕上げだ……分るね、所長さん、大事なことだよ、受衝・運動の第二次結合がほかから独立したわけだ。あんたの先週のクラブでの講演はまずかったよ。まるで要領をえない……カンシをひいて……こういう具合に説明しなけりゃだめさ。人間の意識、たとえば言語の記憶、これが安定するのは、視覚とか文字をかく筋肉の運動とかそういった下位結合とむすびつくからであります。われわれは今それを断ち切った。すくなくとも選択的に外部から支配することができるようになったのである……ゆるめて！……そして天才と狂気は紙一重とかなんとか、通俗的なたとえをひいてみせるんだな。すなわち、天才は忘却と分裂の才能であり、ついにわれわれはこれを組織的に実用化するにいたったのであります……」所長がだるそうにさえぎった。こんどからドクトルにたのむことにするよ、私は思想問題以外には興味がないんでね……「しようがねえな、思想は科学だよ……さあ、額のうらにそって、ゆっくり……いやに乾いちゃったな、ガーゼに脳液をひたしてふいてやってくれ……ゆっくりもとに戻して……O・K……脳硬膜の縫合、糸が足らないじゃないか！……おい、頭蓋測定、何番？　S⅘L2だね、ちえっ、L3で間に合わしとけ……しかし、この人工頭蓋骨にはいつも驚くんだが、このうすっぺらな皿に、一昔まえの小さな放送局ならすっぽりおさめられている計算なんだからなあ、驚くよ、骨のかわりに放送局をかぶってる脳ミソなんて、五、六年前だったら誰が想像しただろうね。今にきっと、あいつの頭蓋はまだ骨なんだそうだ、なんて時代がくるぜ、きっと……アンテナがとおるところに穴をあけて……皮をかぶせてしまえば……ハハ、どうだい、立派なもんじゃないか、クロームめっきのツノが生えた、ワイフが三百人も男をつくっちゃったみたいだぜ……なに、心配することたない、たった三センチのアンテナだよ、そのうち毛がのびたら、リーゼント・スタイルにすればいい」……それこそ、今に、と所長がつきのけるように言った、あのやろうの頭までのっぺりしてやがる、なんてヤバンなんだ、という時代が来るさ……そうですね、それまでは、帽子をかぶっててもいいし、とＲ６２号君も、ふしぎなくらい素直な気持で、つぶやいた。

　豚がどぶさらいするような音をたててドクトルが手を洗いはじめた。所長が机からおりてきて、バンドを外し、ハンドルをゆるめ、輪を外してくれた。すみません、というと、所長は唇の片端をちょっとひきつらせたが、そのまま黙って席にもどっていった。Ｒ６２号君はベッドの端にかるく腰をおろし、ぼんやり膝《ひざ》のあいだに手を組合わせ、すこし頭が重かった。

　助手と看護婦が器具をのせた運搬車をおして出ていった。「あれは３０号と４２号だったね？」と所長がたずね、ドクトルがうなずき、「４２号はどうだい？」と所長がさぐるように笑うと、「いいね、女はロボットにかぎる、ハハ、日本婦人の美徳が完全に発揮されるね。今にフジヤマ、ロボット・ムスメてなことになるんじゃないか。観光協会のＭ君に紹介する必要があるよハハ」

　おや？　と所長がＲ６２号君を見て、だいじょぶか、目がつってるぜ……ドクトルは得意気に、ショックさ、とアンテナのツノを指で軽くはじいて、そら、これでどうだ、よくなったじゃないか。

「テストしてみよう」と所長がベッドの下から縦横50センチ、厚さ30センチほどの持手のついた箱をとりだし、机の上にはこんだ。ドクトルがコードを壁の差込につなぎ、もみ手しながら所長の肩ごしにのぞきこむ。蓋《ふた》をあけ、操作するうち、パッと中から緑色の光がさして、所長の顔が西洋悪魔のようにたれさがった。いくつものダイヤルや目盛盤やレバーが複雑に並んでいた。ふと草笛のような音がした。箱とR62号君の頭の中と、両方で同時にしたようだった。たしかに何かの合図である。R62号君は何事かがはじまる予感に、息をとめて待った。

観察者の乾いた目をあげてドクトルが言った。気分はどう?……R62号君は心の中の見えない風景をじっと見つめた。なんという甘い憂愁だろう、額縁がはずれて絵の中の景色が動きだす……「幸福です、傷がすこし痛みだしたけど……」おや、涙ぐんでるぜ、とドクトルが苦笑しながら、かなり利《き》いたようじゃないか……所長はフンと鼻をならして、額のまん中に太い中指をおし立てた。しかしR62号君はすこしも気にならなかった。今なら足をノコギリでひかれながらでも、微笑《ほほえ》んでいることができただろう。

所長がさらにダイヤルをまわし、また草笛の音がした。するとR62号君の気分はページをめくったような唐突さで変化した。こんどは急に落着をなくし、そわそわと立上り、なにか大事な忘物をしたような気がするのだ。多分機械のほうにその変化の反応がでたに相違ない、二人は申合せたようにうなずき、ドクトルがからかい気味に言った。「歌をうたってくれるんだね？」……そう言われればたしかにそうだ、R62号君は手をうって笑った。「そうです、ちょうどうたおうと思ってたんです」学芸会の舞台に立った子供のように無邪気な誇らしさで、胸をはって歌いはじめた。

涙をうかべた青い雲
母さん雲にしかられて
お山をこえて行きました
………………

うたってみると、不思議なことに、彼のまったく知らない歌なのだ。知らないくせに、歌と文句が、次から次に自然にでてくる。所長とドクトルが噴きだした。歌っているあいだじゅう、笑いつづけた。残酷な気持で、無理に笑っているらしかった。それでも、R62号君は、真剣に気分をだして歌ったものだ。成功だったね、とスイッチが切られるまで……。

一週間のあいだ、R62号君は、かくし廊下をさらに奥まった、北向の小部屋にとじこめられていた。いや、とじこめられたというのは、正しい言い方ではないかもしれない。なるほど、ドアは閉めきりで、その外に何があるのか、まるで分らなかったが、しかし彼は別に知りたいとは思わなかった。また、反対側の、腰板を利用してつくったかくし扉からなら、自由に出入がゆるされていた。それでも便所より先に行こうと思ったことはないのだ。むろん、不案内な彼には、それがほとんどめくら廊下だったというせいもある。しかし、そのせいばかりではあるまい。彼はまるで植物のように自足していたのだ。

ベッド兼用の長椅子《ながいす》とテーブル、それに富士山の色つき写真が一枚、それだけの部屋だったが、けっして退屈するようなことはなかった。とにかく、見はらしのいい大窓があった。雨のしみでよごれていたとはいえ、すぐ下に往来のはげしいロータリーが見え、高架線も見おろせたし、何千という屋根をいちどに眺めることもできた。夜だって、町が先にねてしまうなどということはなかった。

それに、話相手がいなくても、彼はしじゅう誰かと話しているような気がするのだった。たしかに、日に三度は、花井が食事をはこんできて、何か本当のお喋《しゃべ》りをしていった。もっとも、それも、ただそう思っただけのことかもしれない。というのは、彼女が出ていくと同時に、何を話したのかすっかり忘れてしまうのがつねだったから。そのくせ、彼女の心が隅々まで分るような気がしていた。ある日、花井が彼を愛しているのだと確信したことさえある。花井があの耳輪事件の傷あとを指でつまんで、膜のようなまぶたを半びらきに彼を見つめたときのことだ。彼は花井を抱かなければならないと思った。立上って腕をさしのべようとした。すると、頭の中でふいに草笛がなり、彼の中で誰かが笑った。

花井はべつにさわがず、そんなことも予期していたふうだった。立ちすくんだ彼に、首をふりながら静かに言った。このまえも、58号という若いロボットが、あんたみたいにかかってこようとしてね、机にツノをひっかけちゃって、そのまま「ロッといっちゃったのよ……R62号ははじめて不安になった。

いや、もう一度だけ、不安を感じたことがあった。窓の下を波うっていく、赤旗とプラカードの行進を見た日。自分が誰であったか想出《おもいだ》せないあせりに頭をかかえてもだえた……歌をさいそくするものもなく……もっとも時間にすればほんの僅《わず》かの間だったにちがいない。草笛がなり、いつのまにか彼は空に浮んだ洋服屋のアドバルーンを見て笑っていた。それに、ツノのはえた頭はかかえにくかった。

こうして一週間が無事にすぎると、その日は朝から霧のような雨がふりつづいていた。R62号君は半日、ガラスをつたってこぼれる水滴の中で、滴虫類のような運動をつづける煤煙《ばいえん》をながめてすごした。そのばくぜんとしたノスタルジヤの理由が、原始動物をおもわせる運動にあったのか、それとも工場を聯想《れんそう》させる煤煙そのものにあったのか、そのへんは不明である。あとの半日が、どんな具合にすぎたのかは、まったくおぼえていない。夕方から雨がやんで、あたたかくなった。

そのころビルの地階のホールでは、国際Rクラブの第一回大会が開かれていた。熱帯魚の水槽に装置した照明で、謎《なぞ》めいた光のひだがモザイクの天井にふるえ、厚い一枚ガラスの長テーブルには、カクテル用のつまみものが、世界地図の模様に並べられていた。ちょうど所長の挨拶《あいさつ》がはじまったところである。

「……というわけでありまして、わがロボットもこの62号をもってついに工業的段階に到達し、ここに御披露をかねてクラブの結成をみた次第なのであります。

さて、あらためて申上げるまでもないのでありますが、わがクラブのもつ歴史的な意義を、ここで再確認してみたい。わがクラブの名称であり、そしてその諸君の胸に黄金色に輝くところの、Rとは、いったい何ものであるか？……むろん、ロボットのRであります。だが、それだけではない、実に複雑多様、深遠なる意味をもっているのであります。ちなみにその一部を、ほんのごく一部を申しあげますれば、まずクラブの象徴といたしまして、レイスすなわち人類のR、ルールならびにレインすなわち支配と権力のR、リッチすなわち富のR、レヴァイヴァルもしくはレアクションすなわち復古のR、レセットルすなわち植民地復活のR（拍手）ライトすなわち正義もしくは右翼のR、（拍手）……」所長はちょっと口をつぐんだ。給仕——ツノがはえているところをみるとロボットにちがいない——がカクテルの盆をはこんできたのである。今日おためしいただくカクテルも、すべてRではじまる名前をもってます。今おくばりしたのはロップ、つまり強盗というので、ちょっと酸味がきつうござんすかな……ハンカチで軽く唇をおさえ、先をつづけた。「次に、ロボットの記号として見ますれば、ラショナリゼーションすなわち産業合理化のR（拍手）ラットすなわちストライキ破りのR（割れるような拍手）レギュラーすなわち忠誠なるもののR（拍手）さらにラッシュすなわち突撃隊員のR……（まだあるぞ！　と叫ぶ声——日本語のラセツのR、これはね、チンポを切ったやつのことだってさ、ワハハハ……）さよう、まだまだ、いくらでもあるのであります。そこで私は次のような提案をいたしたい。クラブを実行力あるものとするため、Rのつくいくつかの支部をもうけて、機動的な組織にする。これもほんの一案でありますが」とすばやく手帳をくって、「再軍備のためのレミリタリゼーション・クラブ、情報入手のためのレポーター・クラブ、競技場と選挙のナワバリを支配するためのリング・クラブ、実業家のためのレソースつまり資源クラブとレイクすなわち熊手《くまで》クラブ、工業家のためのレクレイムすなわち未開地開発クラブ、なお文化人のためのリリージャンすなわち宗教クラブ、密輸入者や亡命者のためのランナー・クラブ……あ、ちょっとお待ちください」と新しくくばられたグラスを手にして、ここでわれわれを選ばれた全能の神を祝福して乾杯したい。このカクテルはレジュヴィネーション、すなわち回春と呼ばれておりまして、ホルモンをだす南洋の珍植物ワンダの果汁を配合したものです。どうぞ……と客の動揺にはかまわず、一気に飲みほして、「ここにお集りねがったクラブ員諸君は、代議士、高官、銀行の頭取、大企業の重役などそれぞれ神によって選ばれた今日の、そして明日の日本の指導階級であります。(拍手)この皆さんに、いまお話したところの各Rから専門に応じて適宜、一つもしくは数個のRをえらんでいただき、その責任者になっていただきますならば、わがRが事実上、日本支配の象徴となること必定ではありませんか！」……熱狂的な拍手……提案！　と叫ぶ声——そん中に一つ、ロマンス・クラブちゅうようなもんを入れてくれんもんかのお。あ、い、あざらしのようなひげをはやした豪傑、和服の上に大きな勲章をリボンでつっている。何者であろうか、居並ぶ紳士諸君も声を合わせて愉快そうに笑い、すこしも気分をそこねた様子はない。「閣下にはむしろ」と所長も微笑をうかべ、「帯勲者のためのレガリヤ・クラブを組織していただきたいもんですなあ……しかしむろん、ロマンス・クラブも結構なのであります。実をいうと、私自身、類似の提案をしようと思っておった。とくに外部に対してクラブの機密を守るため、カムフラージの目的をもって、またわれわれといえども時には英気を養わんといけませんからな、そうしたごくやわらかいクラブをもうけることは、絶対必要なのである。（拍手）その場合のRは親善を意味するラプロシマーンのR、ドンチャン騒ぎのランダンのR、ルーレットのR、ロータリーのR、あるいは婦人と一夜をともにするローズ・クラブのR……本日の会も後半はさっそく、その名もかぐわしきローズ・クラブに切りかえる予定でありますが……（割れるような拍手）しかし、諸君、それまでの一、二時間を、天下国家の大事のために耳傾けていただきたいのである！」

R62号君はさっきから、身じろぎもせずにかくし扉を見つめ、耳をすませていた。道をへだてたフロリダホテルのネオンが合図で、いつもならその時刻にきちんと花井が食事をはこんでくるのだが……なぜかその日は三十分もおくれて、しかも草井がかわりに持ってきた。草井に遇《あ》うのは手術をうけてから今日がはじめてなのである。「どう、元気にやってたかい？ へ、いいツノじゃないか、お似合だぜ。キリン児の相ってやつだな」と最初から妙に不機嫌で、R62号君がなにげなく、花井さんは？とたずねたのに、花井になにか用があるのか？ と急にけわしい声に変って、「おかしいと思ってたら、やっぱりそうなんだな。小人閑居して不善をなすってやつだろう……」しかしR62号君は、まるで聞えなかったように、ただひたすら消化に没頭しはじめ、おい、知らぬ仏よりなじみの鬼だ、なんとか言ったらどんなもんだい、と草井がすごんでみたが、もう入りこむ余地もない。たちまち、吸取るように食べおわって、眠そうに微笑んだ。くそ豚め！ と草井は鼻ひげをおさえ、ポケットをさぐって、開かずのドアの鍵《かぎ》をまわしながら「いいさ、どっちみちこれでお別れなんだ。間もなくお迎えがくるよ。そら、これが外に出るときかぶる帽子。その服にはちと立派すぎるがね……とすり切れてリボンのなくなった古ソフトをテーブルの上に投出し……まったく、あんたにしてみりゃ、死の勝利のたとえどおりだったねえ」……「花井さんがくるんですか？」……「ちえっ、このくたばりぞこないが！ まだ言ってやがる。私ャ子供のころから、心に笠《かさ》をきて暮せって、教えられてきたもんだ。こんな図々《ずうずう》しい野郎を見たのははじめてだよ。ツノをためて牛を殺すようなことになっちゃまずいし、それに死馬にハリをさすってたとえもあるからな、まあそっとしといてやるが、おぼえとけ、死人とねた女から鼻毛をぬかれるおれじゃないんだ……」

地下のクラブでは組織綱領が拍手のうちに満場一致で可決したところだった。では議事をすすめます、と所長が例の緑に光る箱を床からとりあげて、すべて日で見るより確かなことはない。説明に先立って予告どおり、いまから新ロボット62号を御披露することにいたします。この62号は製造以来、まだ一度も保存室を出たことのない処女ロボットでありますが、いま私が操作しておりますこの指令箱によって、案内なしにここまでやってくることができるのであります。

R62号君は、草井が出ていったのを、おぼえているようでもあり、またおぼえていないようでもあった。いつの間にかまた雨になり、すっかり暗くなったのに、電燈《でんとう》をつけるのも忘れて、ぼんやり何かを待っている。二、三分か、あるいは二、三十分か……緊張した視線につつまれて、所長が得意気にダイヤルをまわした。まあ皆さん、一つ気軽に、いまおまわしした千鳥足《ちどりあし》のリール・カクテルでもおやりになって……草笛がなり、R62号君は見えない使者の声を聞いた。さあ、急いで、帽子をかぶって……どこからともなくガラスを砕くようなタイプの音がひびき、残業の部屋だけがヒステリックに明るい。階段をおりると玄関の前にでた。地階への降り口はそこから廊下をぬけてつきあたりにあった。途中、契約書にサインさせられた例の部屋の前をとおったとき、男とも女ともつかぬ吠《ほ》えるような泣声を聞いた。地階はしめった風を吹上げていた。すぐ、国際Rクラブ　とまあたらしい鋳物《いもの》の標識が目にいり、おはいり！　と見えない使者の命ずるまま、シンチュウの鋲《びょう》でおさえた革ばりの豪華なドアを、ためらわずに押しいった。

熱狂的な拍手……いや、お静まりください、と所長は手をあげて制し、もしその喝《かっ》采《さい》が私に対する御好意の表現でありますならば、よろこんでお受けもいたしましょうが、しかし、こんなことがまったくのつまらない余興にすぎぬことは、諸君もばんばん御存じのはずである。喝采はむしろ、このロボットのもつ真の意義を、御説明申しあげてからいただくほうが適当でありましょう……しいんと静まりかえったお歴々を、上目づかいにすばやく見て、いや、心配御無用、ごく簡単にやるつもりです……R62号君の姿が、所長をいらだたせるらしかった。

「私はまずわがロボットの歴史的・社会的意義からお話するつもりである。ごらんのとおり……とR62号君を顎《あご》でさし、なんだ、62号、帽子をとらんか！　金切声で叫び、ウ、ウ、と声帯でないところで息をととのえてから、……外見は単に三センチ弱のアンテナ二本をもつにすぎないが、その中には米国本社から直輸入の、実に現代科学の枠ともいうべき、驚異的な装置がかくされておるのでありまして、ウ、その構造や原理についても、当然ふれるべきだが、それはこちらに居られるドクトル・ヘンリー石井……本社派遣の世界的脳外科医にして屈指のロボット製作者、ドクトル石井の後ほどに予定されておりますに挨拶にまつことにいたし、私は主にその性能の点から説明申しあげたい。ウ……とさんざんむしられて骨だけになった皿の中の鶏を凝視しながら、まず、労働の歴史ということから考えていただく。労働が人間の筋肉から機械に移行するにつれ、技術というものが重要度をましていった。しかし技術の初歩的段階におきましては、機械はまだ肉体の補助手段にすぎず、ここから自動人形という機械の擬人化が技術の夢として誕生したのであります。言うまでもなく、この初期ロボットは、単に人間の真似《まね》をする玩具にすぎなかった。機械の真の発達は、この性能と形態の混同が克服されたときから始まるのである。まず紡績機から口火をきり、なんら人間のまねをすることなく、足は車に、手は工作機械に、筋肉はタービンに、目耳口はラジオ、テレビ、フィルム、レーダー等に、また大脳の働きの一部は電子計算器にと、それぞれ大胆な変形をしながら自由な成長をとげたのであります。

むろんわれわれはこの機械の全体をマンモス的大ロボットだと考える根拠をもっている。機械はもはやその工学的能力で人間をこえるのみならず、自ら思考し、選択し、記憶する能力さえもっている。では、ここにおいて、人間の存在理由は消滅したのであろうか？　いな人間なしに存在することはありえない。しからば、かかる事情の中で、人間がはたすべき役割とはいったいいかなるものであるのか？　いわく、機械のよきしもべとなることである。かの自動車王フォードが、その発明　流れ作業　で示したごとく、おくれた人間をいかに合理化して機械に追いつかせるかという点に今日の課題があるのであり、これをはきちがえた無能なる人間どもが、日に日に集団化して労働運動などという動物的退化のふちに沈んでゆく姿は、まさに世紀の悲劇と言わなければなりますまい。（まばらな拍手）労働者は機械の血液であり、技術者はそのホルモンであり、さらにわれら選民はその心臓と魂である。（拍手）いかにその魂が高貴であっても、もし血液が病毒におかされたとしますなら、機械の健康がそこなわれるのは当然であり、それはとりもなおさず文明の危機というべきでありましょう。かかる退化と闘う十字軍の結成は、今やわれらの義務なのであります！……さて、その精神を一言《ひとこと》にして申しますならば、文明の健康、すなわち機械の健康をはばむものは、人間の後進性にあり……この大思想にもとづいて、われわれは血のでるような努力の結果、ついに第二のロボットをうみだすにいたりました。人間から人間以上の能力を引出すことに成功したのであります。ここで大事なことは、今日、人間の値段が、あらゆる天然資源の中でもっとも安価であるということ、（同感の囁《ささや》き、所長はいくらか気をよくして）つまりこの事業は十二分に採算がとれるものである。（拍手）われらは安んじて勇往邁進《まいしん》すべきでありましょう。（とりとめのない拍手）わがクラブの事業計画としましても、将来は機械の血液成分たる大多数の人間を、すべてロボット化することになっておりますが、まずその手はじめとして、技術ロボットを完成した。それがこの62号なのであります」

所長はふと不安気にあたりを見廻した。さきほどから会場全体に妙な気分がただよいはじめている。なんのことはない、ほとんどが泥酔《でいすい》の一歩手前にいたのである。方々で勝手な会話が交されていた。誰かが意味もなく拍手すると、二、三のものがすぐそれに応じた。「諸君、最後に提案いたしたい！」所長が叫び、ハハ、と誰かが笑った。「そうです、私は提案をいたしたいと思う！　つまり、ロボットを生産と直結させるこころみの第一歩として、ある経営不振の製作所にこの62号を貸与し、その間自由に仕事をさせるという条件で、金融面を保証してやる……」（拍手笑声）ローズのほうはまだかねえという呟《つぶや》き、明らかに聞いているものはもういないのだ。所長は急いでポケットから用意してあった紙きれを取出し、椅子の背を枕《まくら》に眠りほうけているM銀行の老頭取をゆすりおこして、その手に万年筆をにぎらせながら囁いた。い

ま御賛成ねがった件、さっそくサインねがいたいのですが……サイン？……すぐロー
ズ・クラブに切りかえますので……やあ、結構ですなあ……。
サインをもらうと、たのんだぜ、ドクトル石井に言いおいて、所長は外に飛出して
行った。暗い階段を電話室まで一気に駈上《かけあが》りながら、激しくつぶやいた。くたばりぞ
こないの、虫けらどもが！　そして高水製作所あてに次のようなウナ電をうったので
ある。
ロボ　ツトノケンセイコウ」アスヒルマツ

高水社長はR62号君に引合わされたとき、膝がふるえて立っていられないほど驚
いてしまった。所長を隅にひきずってきて、あんた、あの男はたしか、去年あんたの
方から話があったとき、すぐに馘《くび》にした男のはずですぜ。
さすがに所長もおどろいたらしかった。しかし高水のように声を低めたりすること
はなく、むしろ陽気にさえなって、そりゃかえって好都合じゃないですか、現場にも
なれてるわけだし、とR62号君を振向き、君、そうかい？　高水さんのとこで馘に
なったのかい？……R62号君はわるびれずにうなずいた。しかし高水はまだ安心で

きないらしく、あの男のやることはどうもあまり役に立たんことのようでしたね。それになんでもあれの弟ってのが、組合運動かなんかやってるとかで……なにもそんなに小さな声をだす必要はありませんよ、と所長は笑い、仕事のことなら、私どもの方で一週間かかって徹底的な脳波歴の分析をし、これがどんなことをしてきたか、どんな能力があるかをしらべあげました。複合自動旋盤をやっていたんでしょう？……そうでしたな……そこで私どもは一応これの経験を抹殺し、あらためて機械に対するわれわれの基本認識、つまりいかにしてのろまな人間から限界をこえた能力を引出しうるか、という観点から問題を組みなおしたものを、脳波の記号に飜訳して発信し、完全な条件反射をつくっておきました。こいつは絶対的な天才技師でさあ。まあ使ってみてごらんなさいよ、うけあうから、私の方で朝の十時から午後五時までの間、指令箱から電波を送るようにします。つまりその七時間だけ天才になってるわけですな。あとは休息さしてやって下さい。休息と言っても、ただぼんやりしてるだけだから、手数はかかりませんよ。それに弟が赤だなんてことは、まったく問題じゃない、なにしろこれはもう死人なんだから……へえ、死人ですかねえ？……そうだよ、なあ……とまた振向くのに、R62号はやはり素直にうなずいた。だけど、やっぱり薄気味悪いですなあ、と高水は信じられないように首をふる。私はまた、てっきりアメリカさんの技師が来てくれるんだとばっかり思っていたもんで……これの頭は完全にアメリカ製だよ。パテントが二十九もついているんだ。それに、問題がおきたり、うまくいかないことがあったりすれば、すぐ本部に脳波を電送して分析してもらい、向うの専門家に調節してもらえるんだから……そうですかねえ？……いやなんですか！……とんでもない、命の綱ですよ。なにしろ野郎共がストライキ騒ぎをはじめると、銀行がケチをつけるし……御心配なく、融資はこのロボットに対して行われるんだから工場はうんと縮少してやりゃいい……ありがとう、で、その融資のことはたしかなんですな？……私との契約のほうもたしかなんでしょうな？……って言うと？……バカしあいはよしましょう。利益の折半ですよ……ええ、そりゃもう。俗に死んでも生きたいと申す、あれで……重役会や組合のほうは？……責任をとります、信用して下さいな。銀行様から見放されちゃ……銀行は私の意見でやってるんだ。私にたよっていなさい。ロボットは君のところの絶対的な信用になるんだ。登記がすめば君も国際Rクラブに入れてあげよう……はあ、よろしくねがいます……クラブに入れば君も一流の工業家だ……はあ、まったく、どんな機械が発明されるかたのしみですな……まかしときなさい、天才だよ……それがどうも、所長さん、言いにくいんだがたった一つ、死人だなんて言っても薄気味悪いやねえ……本人が言ってるんだから、信用しなきゃ……そこんところがさ……信用することだよ。係のものが始終反応をしらべているし、君も変なところに気づいたらすぐ言って来て下さい。希望どおりになおしてあげるから。お望みなら休憩のとき、歌をうたうようにしてあげてもいい……。

七カ月たって、十一月のある晴れた午後、高水製作所の技術課の組立室で、R62号君が製作した新式工作機械の試運転がはじまろうとしていた。一切儀式めいたことはよして、今日は国際Rクラブの会員と、製作所の重役数人だけの内輪の会である。一番前の席に銀行の頭取と所長とドクトルと高水がならび、とくに所長はいざというときのために指令箱を準備して機械に近く陣どっていた。はじめに所長の「今日の意義」と題する講演があり、この日をクラブの記念日にしたいという提案がなされた。頭取はただにこにこして、たのしみですな、と一言挨拶《あいさつ》した。しかし本心は、酔っぱらったまぎれにさせられたサインのことを、サギだと信じて心良くは思っていなかったのである。

そのあいだ高水はただおろおろして、人の顔を見るごとに不安を繰返していた。もっとも高水の不安は、機械のことについてではなく、経営者側の不誠実と、さらにクラブ会員のスト破り専門家によってやとい入れられた無頼漢とに、ついに怒りを爆発させた労働者たちの、所長の言をかりれば退化現象についてだった。高水が工場に出てきたことをどこからかかぎつけたらしく、労働者たちは昼ごろから工場の正門めがけて続々集結しはじめていた。

最後に指令箱の命令でR62号君自身の報告があった。単純な明るい表情で、ぼくの発明したこの機械は、Rクラブの綱領をそのまま具体化したものです。理論上からはぼくたちはどんな複雑な仕事をする自動機械でもできるわけですが、コストと能率の点を考慮すればそればかりが必ずしも目的にかなったことでない。むしろ一番コストの安い人間をどう利用するかということ、そこに問題があるのです。だからぼくは、人間にそのような能力を機械の方から強制し、しかもふんだんに人間をつかうような機械、というところに焦点をあて、このような人間合理化の機械を完成したのです……R62号君自身にしゃべらせたということは、たしかに思いつきだった。誠意のある拍手で迎えられ、賓客一同の顔も心から晴々として見えた。

所長の合図で幕が切っておとされた。その機械を見たとき、高水だけはさすがに驚いたが（実はストライキ問題に没頭して、機械を見るのはこれがはじめてだったのである）他の連中はもともと機械というものは複雑なものだと心得ていたから、一般的な感動をおぼえただけだった。

R62号君が始動スイッチの前に立ち、高水が社長の資格でしずしずと機械の前に進みよった。高水が仕事台に立つと、R62号君がスイッチを入れた。……と、はじめは半坪の土台に、身の丈ほどの高さだったのが、たちまち倍もの大きさにひろがって、のばした両袖《りょうそで》を音もなく内側にまわし、あっという間もなく高水をすっぽり抱込んでしまったのだ。おそろしくややこしい自動変速歯車が、コトコトとやさしく鳴りながら、ギラギラ光る刃物を、八方から高水に向ってはきだしはじめた。ときおり右から左へ、左から右へ、飛びかう。「おい、もう分ったよ」と高水が叫んだ。R62号君は静かに事務的に答えた。「危いですよ。前に沢山並んだボタンにグリーンのランプがついたら、それをすぐ押して下さい。押すのが二・四秒おくれたら指が切れてしまいます。切れてもすぐ次のを押して下さい。指は十本あるから十回までは指だけですむのです。十回以上押しそこなったら、胸をさされて死ぬはずです」そう言い終ったとき、新しい歯車群に運動がうつり、機械はうなり声をあげて全速力で運転しはじめるらしかった。最初のランプがついた。指は切れなかったが傷ついて真赤な血が弧をえがいて飛んだ。「ねえ、分ったよ、君……」高水はR62号君がふざけているのだと思い込もうとして、無理におどけた声で怒鳴ってみた。R62号君はおだやかに天気の挨拶をするような調子で言った。「この機械は動きはじめたら、四時間は止められないことになっています」

機械の運動はまことに不規則だった。三十いくつ並んだランプは、端から端までは全身運動の距離があったし、それも規則正しく順を追って点滅するかと思えば、いきなりめちゃくちゃな順序で飛びまわったりするのだ。点滅のリズムも、音楽的な正しい順序があったかと思うと、次には想像もつかないややこしいリズムに変った。それらが組み合わさって、息をつぐ間もない。

一本目の指が飛んだ。そのころから来賓の間には異常な興奮がただよいはじめていた。銀行頭取は終始うなりつづけていた。ドクトルは次第に後ずさって、最後にはうしろの壁にぴったりとはりついてしまった。R62号君が言った。「血でランプが見えなくなったら、一番下の赤いランプをおして下さいね。上からメタノールが流れて洗ってくれますから」

二本目の指が飛ぶと、高水はAとOの中間の声で吠《ほ》えはじめた。高水の心にあるのはただ、集結した労働者たちが門を破って送電室を占領し、配電盤のスイッチを切ってくれる夢だけだった。機械のうなりにまじって、アメリカに売るな！　と叫ぶ労働者たちの声が聞えるようにさえ思った。血とも汗とも分らない。全身がどろどろになっていた。

三本目が飛ぶころから、そろそろもちこたえる自信がなくなった。四本目、五本目とたちまち切れて、いつの間にか左手をつかっている。

頭取は両手で顔をおおい、指の間からのぞいてうめきつづけていた。彼は無条件に感動していたのだ。サギだなどと思ったことをふかく後悔したほどだった。所長も激しい霊感にひたっていた。唇がかわくのでたえずなめながら、ついでにぬらした指で鼻の穴をしめした。他の連中も大同小異の驚きに慄《おのの》いていたに相違ない。

七本目の指が落ちたとき、高水は自分からうしろの刃に体をなげかけて、両腕をだらっとたれた。刃は震動しながら背中から胸へとつきとおしていった。太い黒い叫び声が部屋全体から柱のように立上った。

立上った所長はR62号君の腕をつかんで、異様にやさしい声でたずねた。「62号、こいつはいったい、何をつくる機械なんだ？」

R62号君はじっと所長をみつめ、何かを想出そうと努力しながら、微《かす》かに首をふった。その瞬間、冬の小蝿《こばえ》のように鳴きながら、機械がとまった。はっとして振向いた所長は、箱のランプが同時に消えたのを見た。遠くで労働者たちの歌声がきこえ、それに警官隊のトラックのサイレンが次第にまじりあっていた。まず顔色をかえた重役連が駈出した。つづいてクラブ員たちが、ふるえる足でひっかかりながら駈出した。ドクトルはそのどちらかにまじって、すでに姿を消していた。

残ったのは、R62号君もまた死人であるとすれば、所長一人だということになる。なりをひそめた指令箱にしがみついて、じっとR62号君を見つめていた。「何をつくる機械だったんだ？」同時に自分もためすようにそっと聞いてみる。R62号君はぼんやり首をかしげ、そのままどこか見えないところを見る目つきで、かすかに笑った。所長の顔は次第に恐怖にゆがんできた。

「何をつくるつもりだったんだ！」ありったけの声で叫んだが、もうその声はま近にせまったもみあう怒声にかきけされ、R62号君には蒼《あお》くひきつった顔と大きくけいれんする唇が見えただけだった。

（「文学界」昭和二十八年三月号）

パニック

思いだすたびに、悔やまれてならない。またとない機会だったのに、偏見にわざわいされて、せっかくの職を棒にふったばかりでなく、殺人容疑者として、いま私は裁判を待つ身なのである。この記録は、失敗も他人の手にわたれば智恵《ちえ》になるのコトワザにしたがって、失業者諸君ならびに現在の平凡な職業に絶望している人たちにおくる忠告である。

事件は、まず職業紹介所の出口ではじまった。思うに、そのとき、私はかなりみじめな顔つきだったにちがいない。もらった紹介先が、パーマネント屋の住込みだったといえば、おおかた見当もつけていただけることと思う。参考までに言っておくと、私は三十二歳の男子であり、いくぶんやせ気味だが、発育はよく、五体に欠けたところはない。思想は堅実であり、性格は率直、労働を愛し、学歴は文科系の専門学校卒業程度。欠点といえば、最近、近眼がひどくなったことだが、これは眼鏡を買いかえる金さえできれば難なく解決されることだ。ビタミンの豊富な食物をとることができずなにかしら先天的な欠陥をもっているということだが、もしこれを信ずるにしても、私が失業する必要はないのである。いくらなんでも、パーマネント屋の住込みはひどすぎる。……

……「うまい仕事にありつけなかったんだね」と、誰かを待ちうけるような姿勢で石段に片足をかけ、タバコをくわえてドアを見上げていた男が、私とならんで歩きだしながら言った。人ちがいだろうと思ったから、返事をしないでいると、男は笑って、新しいタバコの箱を私にすすめながら、「ね、君、ぼくはパニック商事の求人係だが、ちょうど君のような人をさがしていたところなんですよ。テストをうけてみませんか？」

たちまち私はシャツを着かえたようにさわやかな気持になり、いくども繰返してうなずきながら、しかしうれしさのあまり、かえってすぐには返事ができないでいると、男はすばやく一枚のカードを私の手ににぎらせ、ひょいと手をふると、そのままどこかに行ってしまった。私は門の前の松の木の根もとに腰をおろしてそのカードを読んだ。

パニック商事就職試験申込用紙。（No. 84）

表――年齢、経歴、趣味、特技、慾望《よくぼう》（註《ちゅう》。姓名住所は不要。なお、最後の慾望は、大きいほうがいいのであるから、遠慮せず、具体的に書いていただきたい）裏――表の必要事項を書きこんだら、あなたはこのカードをズボンのポケットに入れ、今夜八時に、左の地図の場所までおもむき、そこでK氏に遇《あ》われたし。K氏は白縁の眼鏡と、左頬の傷が目じるし。紺のジャンパーを着ている。（注意。言われたとおりにすること。聞かれたことに返事をする以外、不必要なおしゃべりはしないこと）当商事は、電気、水、ガス、以外のほとんどすべてをとりあつかう。詳しくは採用決定後に説明するが、もっとも進んだ現代的な方式による組織的運営がなされており、他社のモホウの危険があるため、他言はつつしまれたい。健闘されたし。あなたの合格をいのる。

……地図は鉛筆書きだった。カードごとにちがうらしい。指定された場所は、I駅東口マーケットの飛魚という飲屋で、たしか前に一度行ったおぼえがある。下見をしておく必要はないと思ったが、家に帰れば、カードの約束を守って女房にこの吉報を知らさずにおく自信がなかったので、七時ごろまで映画をみたりパチンコをしたりして時間をつぶした。

吉報……などと、私がすこし手ばなしでよろこびすぎていたように、諸君は思うかもしれない。むろん私とても、ぜんぜん不審をいだかなかったわけではないのである。私を見て、いきなり君のよう<ruby>な</ruby>人というのはおかしい。申込みカードに、住所氏名が不要というのもおかしい。しかし、失業の不安は逆に人間を信じやすくするものだ。それにパニックという外国式の名前が気に入ったし、カードの文句も変なりに権威ありげだったし、またカードをくれた男の印象がいかにも清潔だった。どんな具合に清潔だったかと聞かれると、困るのだが、一と口に言って、現実ばなれしていた。とにかく私の損を自分の得にしないでもすむ人間らしく思われたのである。

飛魚のノレンをくぐったのは八時ちょうどだった。Kという男は、眉《まゆ》の濃い、眼の落ちくぼんだ、四十前後の色の白い男で、相客の二人とは一目《ひとめ》で区別できた。Kさんですね、と呼びかけてみると、Kは隣の席に私をまねき、まるで旧知の間柄ででもあるように、顔中で笑いながら、さっそく酒をすすめてくる。見れば、もうかなりの酔いかただ。私はがっかりした。私は運のわるい男だ、今度もまたこのだらしない係員のおかげで、せっかくの職が御破算になってしまった。こんなことなら、パーマネント屋を訪ねたほうがまだましだった。そう思って、にらみつけるようにしながら、強く断りを言ったが、「約束だ約束だ」とKがつぶやくようにくりかえし、それがいかにも確信ありげなので、仕方なく私も言われるままにすることにした。

夕食をとっていなかったせいか、酔のまわりかたが妙に急だった。Kは、女と無駄口をきくだけで、いっこう用件を切りだそうとしない。なんとかしなければ、と思っているうちに、意識がぼんやりしてきた。あとのことは、バラバラで、脈絡がない。Kが歌いだしたので、私も歌った。女が笑ったので私も笑った。しようがねえなア、と声がして、Kが私を机からひきはがした。最後に、自動車のドアがしまる音、そして私の記憶もとだえてしまう。あんなひどい酔い方は、はじめにも後にも、これが一回きりである。

目をさましたのはもう夜明けだった。すぐ窓の外が高架線で、一番電車が、びりびり壁をひきさくような音をたてて通りすぎた。電車が通りすぎると、窓がぼんやり青みをおびていた。どこかアパートの一室であるらしい。私は窓のほうを頭にして畳の上にゴロ寝しているのだった。いったい、なにごとがおこったというのだろう？　頭の中はシブを塗ったように重く、口の中はヒリヒリ乾いている。ふと、昨夜のことを思い出した。起上ろうとして、手をつくと手の中がぬるっとした。ぬるっとしたものの中に、乾いてガサガサするものがあった。

電燈《でんとう》をつけてみた。つけると同時に、すぐ消した。その一瞬のあいだに見たものを、私はしばらく信じることができない。血……血……血……。私の手の血。私と直角に交わるように、向うむきに倒れているKの、顔の下半分から首筋をうめた血。私とKの間にころがっているナイフの血。まるで、空気が凍って、ガラス様の物質に変ったようだった。息がとまり、身動きもできない。なんだって、こんなことに……なんだって……、こんなことに……ふいに、ページをめくったように、私の心に反省がもどってくる。こんなこと、おれには関係ないことだ、さあ、いそいで逃げだそう。洗面所で、手の血を洗いおとすと、その足で外に出た。二本目の道を右に折れると、I駅の西口、つまり線路をはさんで飛魚の反対側だった。誰にも見られずに改札口までたどりついた。切符を買いながら、まだ手にこびりついている血に気づいた。ハンカチを出して、鼻にあて、いかにも鼻血になやまされている人間らしくよそおってみたりする。部分的には、私もかなり注意深かった。しかしこれは、要するに獣の注意深さで、たとえばナイフの始末をしてくるべきだったという、分りきったことでさえ、気づいたのは、もう電車に乗ってしまった後からだった。

気になりだすと、いろんなことが気になっていた。指紋を消してくれればよかった。Kの身柄を証明するものを残さないように、一応身体検査もしてみればよかった。死体がみつかるまでの時間をかせぐために、あの部屋の鍵《かぎ》――内側から差しこんだままになっていた――をちゃんとしてくれればよかった。窓からのぞかれないように、死体の場所をうつしてくればよかった。とくに、ポケットから例のカードがなくなっていることを知ったときには、このままじっとしておれば死んでしまうにちがいないと思われるほどの、はげしい絶望感におそわれた。……まったく、なにもかも、取り返しのつかぬことばっかりだった。

家に帰ると、女房の詰問《きつもん》に答える気力もなく、倒れるようにフトンの中にもぐりこんで、そのまま昼まで寝込んでしまった。目をさますと、女房は授産所からうけてきた雑誌のフロクを折っていた。私の態度をなにか馬鹿気《ばかげ》たことに誤解したらしく、むっとした表情で、口をきこうともしない。見破られなかったことについて、まずほっとし、つづいて、私がこんなに不安な気持でいるのに、勝手なことを考えていやがる、と、腹をたて、やたらあびるほど水を飲んだ。ほとんど五合ちかく飲んだ。「いったい、どうするつもりなのさ」と女房が急に泣声をだした。まったくだよ、と心の中で答えながら、打開けてアリバイをつくることの協力を求めるべきかもしれないと思い、逆に黙っておいて疑いをかけられる端緒をできるだけ少なくすべきかもしれないとも思い、いずれとも決めかねて、ぐずぐずしているうちに、またうとうと寝入ってしまった。

つぎに目をさましたのは、もう夕方だった。女房は出掛けて留守だった。なんか食い物はないかとさがしまわったが、飯粒一つ見当らない。脳ミソの中に豆電球でもつけたようにキンキンして、胃がしぼった。私はKをのろい、なんだってまた酔いつぶれた私に殺されるようなまねをしたんだろうと、歯ぎしりしながら、近所の家に、夕刊をみせてもらいに行った。三軒の家から、三つのちがった新聞を借りてみたが、どれにもI駅西口の殺人事件はとりあげられていなかった。ホッとすると同時に、計略かもしれないと思い、不安はつのる一方だった。

痰《たん》をふくつもりで、ポケットの中の紙片《かみきれ》をつまみだすと、それはくしゃくしゃになった二枚の千円札だった。すると私は、この二千円を盗《と》るために、Kを殺したわけだったのか。せっかくの就職試験を前にひかえ、たった二千円のために、生涯を棒にふってしまうなんて……生涯を……そうだ、生涯なんだぞ……畜生め！　私はたまらなく恐ろしくなってきた。体がふるえてしかたなかった。

私は女房の帰りを待たずに、電車で三十分以上かかるはじめての町に行き、タバコを買って一枚の千円札をくずし、ソバ屋によって、あとの一枚をくずした。そして、家の近所までもどってきたときに、私は尾行されていることに気づいたのである。尾行しているのは、たしか、さっきソバ屋で見掛けた、若い学生風の男だった。私は家にもどらず、一時間ばかり、あちこちと歩きまわった。尾行がいないことをたしかめてから、家に駈《か》けこみ、百円札を九枚、おどろいている女房に投げつけるように手渡すと、すぐその足でまた外に出て、あてずっぽうに歩きはじめた。映画を二つみて、夜泣きソバを食い、その夜は、A町の木賃宿で泊った。

夜が明けると、私が完全に独りきりであり、昨日の私とは別人であることを、はっきりと感じた。あらゆる光がまぶしすぎた。ふだんの隠れ場所であるべき習慣というものが、もう役に立たなくなってしまっていたからだ。宿賃をはらった残りの、七百二十円が、私を世間につなぎとめる唯一《ゆいいつ》の結び目だった。あらゆる塀の割目、出入口、街角が恐怖の種だった。道を横切るためには、そのたびに、かなりの勇気と決断が必要だった。どの道も、最後は破滅の門でおわっているように思われた。

私自身について言えば、私は自分の体がもつれた糸のかたまりであるように感じられた。たとえば、私は新聞を五種類も買い込んだ。そのくせ、殺人事件の記事を読むためだと意識するのには、しばらく時間が必要だった。その朝も、Kのことはでていなかった。もう読む必要がないのだと分るまでには、やはり間がいった。食堂で、私は普通食を注文した。食事をしているのだと気づいたのは、ほとんど食べおわるころになってからだった。こうしたことが全部、いっそう恐怖をつのらせる理由になった。

なにもしないで、じっとしていられる場所がほしかった。しかし、その場所をさがすためにも、私はきりなく歩きまわらなければならなかったのだ。

夕方、私はまた昨夜の木賃宿に向って歩いていた。今になって考えてみると、逃げだすつもりで、実は同じところをぐるぐるまわっていただけであるように思う。宿に近い、町角で、私はまた尾行者に気づいた。尾行者は、建物の割目に、吸込まれるように消えた。すると、私は、一日中見張られていたにちがいあるまい。次の瞬間を待つ勇気もなくなって、私は尾行者を待った。しかし尾行者はそれっきり姿を現わさなかった。

つづく三日間の行動を、細かく書く必要はないと思う。日常的な習慣をもたないという、新しい習慣を、私は急速につけはじめていた。日常的な一切のものに敵意をさえ感じ、ある行為が次の行為と結びつく、連続感を恐れた。それを認めることは、殺人を意識し、繰返して思い出す義務を負うことになる。そんなことは、幸福な人間のすることだ。私は現実を、私に似せて、脈絡のないバラバラな破片にしてしまいたかった。

私はまったく、何気なく、盗みをはじめていた。してみると、それは、なんでもないことだった。空間は物質で満たされ、まるでジャングルの中の生活だ。単純な次の瞬間があるだけで、過去も未来も物質の陰にかくれて見えなかった。恐怖はいぜん減ろうとしなかったが、私は自分が殺人犯人であることを、ほとんど忘れかけていた。

通りがかりの家から革靴を一足……三百二十円。電車の網棚から忘れ物のハンチング一つ……四十円。古本屋から本二冊……売れ口なし。宿の相客から、風呂敷《ふろしき》一枚……自分用にする。小学校の校庭で運動靴一足……十円。夜、しまい忘れた物干竿《ざお》の毛布一枚……百八十円。三日間の合計、五百五十円。

私はときおり、心の中で「なぜだ、なぜだ」と繰返しているのに気づいた。それと、女房のことを思い出したときだけ、ひどく情なくなって、ふと、泣きたいような気分になる。しかし、そのほかのときは、石ころのように、ほとんどなにも感じなかった。新聞はいぜんとして沈黙をまもっていた。

……四日目。

女房のことが気になって、一晩よく眠られなかった。われわれ貧乏人は、警察というものを信用していないから、女房が捜査ねがいを出すなどという心配はなかったが、ただ、いくらかでも金をわたしてやりたかった。いつか、そんな約束をしたように思われてならなかったのだ。私は、計画的に、靴をぬすむことを考えた。靴がいちばんぬすみやすく、またいい値で売れる。三足もとれば、千円である。

一軒、昨日から目をつけている、手頃な家があった。靴の二、三足とられても、たいして困りそうにない門がまえだったし、そのくせ、荒れほうだいの庭先で、いかにも入りやすい感じだった。塀が高く、玄関が表から見えないところにあるのも、好都合だった。十時ごろ、その家の前を二、三度往き来した。最初見たとき開いていた窓が、二度目には閉っていた。三度目に思いきって入っていってみた。頭の悪そうな犬が、しっぽをふって近づいてきた。玄関の前には、ごたごたと空箱やこわれた椅子《いす》などが積みあげられていた。

ドアは細目に開いたままになっていた。体が入るところまで開けたところで、キッと鋭い音をたててきしんだ。犬が吠《ほ》えた。拳《こぶし》をふり上げておどすと、積み上げた箱の隙間《すきま》ににげこんだ。いつでも逃げだせる用意をして、耳をすましたが、誰も出てくる気配はない。体を斜めにして、そっと中に入った。緑色のハイヒールと、黒の短靴が、よごれたままほうりだしてあった。しめっぽい縁の下のにおいがむっと鼻をついた。

ふと、頭の上で、おそろしい女の叫び声がした。唇をまっ赤にぬった、異様に鼻の穴の大きい、髪の毛をくしゃくしゃにした四十近い女が、胸の上に拳を組み腰をおとして、白痴のように叫んでいるのだった。私は靴をおいた。逃げようとしてドアに手をかけた。しかし女はいっこう叫びやめようとしない。急に私は恐ろしくなった。ふと壁にたてかけてあるナタが目に入る。そのナタをつかんで、「やめろ！」と、かすれた声で叫んだ。女は、体をふるわせ、いっそう高く叫んだ。私はナタを女になげつけた。ナタは女の顔の中にくいこんだ。いつの間にか入りこんできていた犬が、しっぽをふりながら、女の顔の血をなめはじめた。私は胸がわるくなり、しゃがんで、嘔《おう》吐《と》した。全身を吐きだしてしまいたかった。

「君、はやくしろよ」と肩に手をかけてゆするものがあった。例の尾行者だった。私は観念した。しかし尾行者は笑っていた。「はやくしろよ」と私の腕をつかんでくりかえし、靴をつつんだ風呂敷をもちあげてみせる。私にはわけが分らなかった。ガケをころがり落ちるような気持で、後をついていった。門のところで、彼は、誰もいない庭をふりむき「おじゃましました」と晴れやかな声で頭をさげた。通りがかりの男が、見むきもしないで、すれちがった。

尾行者は、私をI駅の、例のアパートにつれていった。もしや、とかすかな望みをかけていた私は、やはり刑事だったのかと、目の前が暗くなるような気持がした。私はあらためて、Kを殺した部屋を見まわした。なんの調度もない、空室のような殺風景な部屋である。殺人があった直後だから、借手がみつからないのもむりはないと思いながら、こわごわ畳に眼をおとすと、黒いシミがほら穴のように、かぎりない深さで私を吸いこもうとする。落ちこむまいとして、私は壁にしがみついた。

尾行者は洗面所で顔を洗っていた。とっさに私は思いついた。方法は一つしかない。息をころして、男のうしろにしのびよると、男はひょいとふりむき、笑いながら、その黒いつやつやした髪をつかんで、ひきはがした。その下から、ちぢれた薄い頭があらわれた。男はさらにポケットから白ぶちの眼鏡をとりだしてかけた。すると、Kになった。

「上出来だ」とKは笑った。

私は膝《ひざ》がふるえて、立っていることができなかった。壁にもたれたまま、ずるずるしゃがみこんでしまった。Kはいたわるように私の横に坐《すわ》り、タバコの煙を吹きあげながら「合格だよ」と私の肩をたたいて言った。「テストだったんだ。素質のないやつは、すぐ自首したりする。自首したって、相手にされっこないけどね。君の成長は目ざましかったよ。簡単にアウト・ロウの生活ぶりを飲込んじゃったからな。これから一カ月、見習いとしてぼくの下で働いてもらう。会社の仕組などについては、追いおい説明してあげる。君はテスト中に人殺しまでやったんだから、きっと早くいい役につけるよ。給料は、見習期間中は月八千五百円。いま半分だけあげておこう。それから、社員心得と、その裏が会社の用語集、折をみて暗記するようにしてほしい。夜八時に、常務の新入社員の引見があり、そのとき社員証を渡すことになるが、それまではべつに用もないから、ゆっくり昼寝でもしていたらいい。今後、この部屋は君の部屋だから、自由に使ってもらって構わないんだ。じゃ、失敬する。七時半に迎えにくるからね……」

「テストだなんて、ひどすぎますよ」と私はあえぐように言った。「もっと早く教えてくれたら、こんなことにならないですんだのに。せっかく職につけたって、いつつかまるか分らないんじゃ仕事も手につきません。ぼくは結局本物の人殺しなんだ。ひどすぎるじゃないですか」

「心配はいらんよ」とKは笑った、「ちゃんと身代りをつくるから大丈夫さ。刑事仲間に、かなりの社員を送りこんである。その連中が、適当に犯人をつくってくれる。君は入社した以上、親船にのったつもりで、仕事にはげめばいいんだよ」

「仕事って、いったいどんなことなんです？」

「一と口にいって、まあ、ドロボウ会社だな」

「いやですよ！」と私は反射的に立ち上っていた。「おかしいと思っていたんだ。おことわりですよ、そんなこと！」もらった金をたたき返して、私は外に飛びだした。Kが追いかけてきて言った。「後悔するよ。社員でなくなれば、君は、八時間以内に間違いなくつかまっちゃうんだ。殺人犯だぞ。ね、君、絞首刑《こうしゅけい》だぞ」

私はめちゃくちゃに走った。後悔はいまさらはじまったことじゃない。ドロボウ会社の社員になったら後悔しないとでもいうのか。……息が切れるにつれて、しかし興奮も弱まった。私は材木置場に腰をおろして、合わせた手のひらの中に顔をおしこんだ。顔がふるえることをはじめて知った。パニック商事……ドロボウ……会社……いくらなんでも、おれはもっとまともな人間さ。盗みをしたって、ちっぽけな、たった一人の仕事だった。食えないから、ちょっとためしてみただけのことじゃないか。会社だなんて、めっそうもない。おれは、そんなことをする人間じゃない。しかし、私にも、はっきりした確信があったわけではなかったらしい。自分がどこにいるのか分らないような不安を感じていた。ふと、ポケットの中の指が、Kからもらった社員心得を思い出した。助けをこうような気持で、私はその心得を読みはじめた。わが社は、かの有名なマルクスの次の言葉をもって社訓となす、という前おきにつづいて、剰余価値学説史の一節が幾分の変形をうけて引用されていた。（この出典は後で親切な刑事からおしえてもらったことである）

――犯罪者は、犯罪を生産するばかりでなく、また刑法を、刑法の教授を、さらにこの教授が自己の講義を商品として売るために必要な講義要綱を生産する。高名なるロッシャー教授もいうとおり、その教授が講義要綱を書く個人的たのしみを無視するにしても、これは国富の増大に利するものである。

犯罪者はさらにあらゆる裁判官、廷丁、刑事、刑吏、陪審員等々を生産する。これらすべての各職業は、それぞれ人間精神の各種能力を高め、新しい欲望とそれを満たす新しい方法を発明する。拷問《ごうもん》だけでも、機械の発明をうながし、まじめな手工業者の一群をその生産に従事せしめた。

犯罪者はまた、状況に応じ、道徳的、もしくは悲劇的な印象を生産し、大衆の美的感情のケイハツに奉仕する。犯罪者はかくて、単調な社会にたのしみをあたえ、芸術をも生産するのだ。

犯罪者はまことに生産の発展にコウケンするものである。泥棒が錠前を発達させた。贋金《にせがね》作りが、お札の印刷を発達させた。詐欺《さぎ》が顕微鏡の需要をました。犯罪者は社会のために不可欠な要素である。

ここにわれわれは、犯罪の組織化によって、社会の発展をさらに増大すべく、パニック商会を設立するものである。全社員はすべからく、この精神に立ち、誇りをもって社会の幸福にコウケンされたし。

……………………

突然、黒い影が目をさえぎった。両側から、しびれるような力で、肘《ひじ》の内側をつかまれた。「おい、ちょっと署まできてくれんか」甘ったれたような声がしたかと思うと、カチッと手錠がかかっていた。

私はパニック商事の社員であることをのべ、例のアパートの住所を言って、人違いであることを強調した。刑事たちは私をはさむようにして、アパートまで同行してくれた。アパートの管理人は、例の部屋を、空室だと言って、私を認めようとしなかった。それでも親切な刑事たちは、ここで、八時までいっしょに待ってくれた。しかしKは現われなかった。刑事は私をなぐり、再び手錠がかけられた。証人によばれた女房は、私をみて声をあげて泣いた。私も、もう白状するよりほかなかった。だが、刑事たちはパニック商事のことをどうしても認めようとしてくれなかった。それに、どうしたことか、唯一の証拠であるべきあの社員心得が、どこかに消えてしまっていたのである。私は観念した。

……そこで、これは私の憶測にすぎないのだが、あの刑事たちの少なくもどちらか一人は、パニック商事の社員だったのではなかろうかと、いまひそかに思っているわけである。

(「文芸」昭和二十九年二月号)

犬

ぼくは犬というやつが大きらいだ。見ているだけでも胸がわるくなってくる。それでもぼくは結婚した。犬と結婚とが、おのずから別問題であることくらい、重々承知の上のことだ。むろん、重要なのは犬のことであって、結婚のことなんかではない。しかし、それ以上に、飼い主というやつはもっと不愉快な存在だな。ちゃんとした使用上の目的、たとえば羊の番だとか橇《そり》をひかせるとか、小生産者が生産手段として飼育している場合はともかく、ただろくでもない家の玄関先につないでおくために飼っている連中には、まったく我慢ならないのさ。ぼくは、ああいうのを、人間の堕落だと思うのだ。

おまけに、なにぶん、ぼくの結婚相手というのが、ぼくが教えにいっている、研究所のモデルで、センスはないし、頭はわるいし、どこといって取柄がないことくらい、人にいわれなくたって、ぼくが一番よく知っている。ぼくは裸体モデル否定論者だから、最初は彼女と口をきいたこともなかったんだ。しかし、彼女は例の現実美術会のF君のお気に入りで、年中研究所に出入りしていたから、いやでも目にふれないわけにはいかなかったのさ。彼女は用がないときでも研究所の中をうろうろしていた。それが、きまって、人目の少ない便所の前だとか、廊下の曲り角などで、研究生にすれちがいざま抱きしめられるのを待ちうける風なのだ。抱きつかれると、彼女は、だめよだめよと壊れものをふせぐように両手を頭の上にあげて、くすくす笑いながら、されるままになっている。ばかげたことだと思うかもしれないが、これが、ほとんど研究所の風習になっていたのだ。この習慣を最初にはじめたのは、むろんF君だった。F君に言わせると、これは肉体の物化、つまり女をモデル化するための日常的な訓練の一つだということだが、ぼくは逆だと思う。あれこそ物体の肉体化じゃないか。だからフォーヴィズムってのは、だめなんだ。研究生たちは、もう、絵の訓練よりも彼女の訓練のほうに夢中だった。

ぼくははじめ、モデルの変更を主張した。ところが彼らはモデルが変っても、その習慣をやめようとしないのだ。そんな習慣になじめるモデルなんて、そうざらにいるものじゃない。そこで彼女がすぐまた呼び戻される。研究生たちは顔中しわだらけにして、そわそわしながら彼女が一人になるチャンスを待っている。用もないのに、うろうろして、彼女に抱きつく順番を待っている。そして、三人よれば、興奮しながら彼女の美学的分析の討論がはじまるという寸法だ。それが、ぼくの講義の最中だってなんだっておかまいなしというんだから、恐れ入った話じゃないか。ぼくは研究所にかようのが苦痛になってきた。一歩中に足をふみいれただけで、脳ミソが腐ったバナナに変ったような気持がしてきたものだ。

　ある日ぼくは、あつかましくもアトリエの中で彼女を抱こうとした研究生の一人を、ひっぱたいてやった。そいつは、平然と、目《ま》ばたきもしなかった。しゃくにさわって、もう一度ひっぱたいてやると、そいつはいきなりなぐり返してきた。ぼくよりは数等倍強かった。

　なんていうことだろう。やつらはいったい、芸術というものを、どんな具合に考えているのだろうか？　やつらは決してふざけているんじゃない。それどころか、しごく大真面目《おおまじめ》なんだ。元凶《げんきょう》は彼女だ、とぼくは思った。ぼくはひと晩F君と議論した。ぼくは彼女の欠点をいろいろとあげて説明した。ぼくはまず彼女が、首や、腕や、足や、太股《ふともも》などの、どこか一カ所にかならず繃帯《ほうたい》をまいている悪趣味について攻撃した。するとF君はこういうのだ。彼女は病気のまねがしたいんだよ……生産生活をしない、抽象物になりたがってるんだ……君の主張に、ぴったりじゃないか。ぼくは言い返してやった。なにが抽象物なもんか、寄生虫じゃないか。ぞっとするようなセンチメンタリズムだ。君らが彼女をめちゃめちゃにしてるってことがわからないのか！　わかるとも、とF君も負けてはいない。要するにそんなことは問題じゃないのだ。ぼくは彼女の真実を見るから、繃帯なんか眼に入らない。君こそ、彼女の肉にこだわっているから、そんなものが眼につくのだろう。……それからぼくらはヴィナスの像に耳輪や鼻輪をつけたらどんなことになるかについて、激烈な論争をした。しかし、これは、結論にたっするまえに、二人とも疲れてしまった。つぎに、ぼくは彼女の人について論じた。だが、この犬のことはまたあとで詳しく説明しなければならないから、いまは省略しよう。最後にF君がいった。君は少し感情的になりすぎている、たぶん神経衰弱にかかっているのだ。彼女について、ぼくにふくむところがあるんじゃないの？もし、そういうことなら、どうぞ遠慮しないでくれたまえ。

ぼくは席をけってアトリエを出た。廊下を歩いていると、ふいに足もとにからみついてくるものがある。彼女の犬だった。顔をあげると、彼女が立っていた。すると彼女は、ぼくらの話をみんな聞いてしまったのだ。こんなにおそくまで、なにをしていたんです、と詰問《きつもん》すると、彼女はまるでぼくが抱こうとしたみたいに、両腕をあげて身をよじりながら、くすくす笑うのだった。一歩ちかづいて、ぼくはくりかえした。こんなにおそくまで、なにをしていたんです？……ますますのけぞるようにして彼女が言った。研究生たちが、外で待ちぶせてるのよ。送ってあげよう、といってぼくはさらに一歩ちかづいた。それから、ぼくは、彼女に抱きついてしまった。

いや、なにも言わないでくれ。どうせ君なんかにはわかりゃしない。君がなんと言おうと、ぼくは彼女と結婚せずにいられなかったんだ。ところが、困ったことに、彼女が犬といっしょじゃなければ結婚しないと言いだした。

それも、あたりまえの犬ならともかく、まるっきりウジ虫みたいな犬なのさ。細長い胴の前に、ばかでかい頭がついていて、すねたみたいに、いつも体をくねらせている。誰かれの見境なしに、じゃれついて、しっぽがないものだから、腰ごと、二つにひきちぎれそうにふりまわす。すると、うしろ肢《あし》がういて、頭が重すぎるので、くるりと宙返りしてしまうのさ。まったく、なさけないったら、ありゃしないんだ。犬の屑《くず》だよ。

おまけに、絶対に、吠《ほ》えないんだ。オンオンだとか、ヴァヴァだとか、唖《おし》が口ごもったようなうめき声をだし、犬らしい悲鳴をあげるのは、ただ牡犬《おすいぬ》がきたときだけ。むろんやつは牝犬《めすいぬ》だ。はずかしくって、君、ぼくはやつの顔を正視できないくらいだよ。前髪をたらした未亡人のような分別くさい顔をしやがって、いつでもぼくをうらむような顔でにらんでいる。ぼくと彼女がなにをしていようとぼくらからじっと眼をはなさない。彼女に、犬を外に出してくれとたのむのだが、彼女は犬に見られているほうがたのしいと言ってきかないんだ。ぼくがやつをにらみかえすと、べつに手をあげたわけでもないのに、ヒイッと死にそうな声をあげて床にへばりつく。おまけに、彼女がとんでいって頭をなでてやるまで、いかにも恐ろしそうにその悲鳴をやめないんだ。デモンストレーションなんだよ。しゃくにさわるじゃないか。どうせ犬なら、もっと犬らしい犬がいい……

しかし、聞いてみると、あの犬も素姓はよかったらしい。ドイツ種の、羊の番人だったという。親はアメリカ兵が本国から飛行機でつれてきたっていうので、それが彼女の自慢なんだが、あいにく、母子相姦《そうかん》でうまれたのがあの犬らしいんだ。にもかかわらず、ぼくは結婚の道を選んだ。そして、犬との闘いの毎日が始まったというわけさ。

ぼくは犬と闘いとおした。犬も負けずにぼくと闘いとおしたね。はじめぼくは、犬なんて大したものじゃないと思っていた。どうせ犬には、記憶も自意識もないんだし、あのいやらしい甘えかたさえ見てみぬふりをしていれば、せいぜい厚みのある影ぐらいのものじゃないかと思っていた。じっさい、ひと頃は、隅のほうにじっとゆううつそうに腹ばいになって、ほとんど気にしないでもすみそうだった。だが、間もなくぼくの思いちがいだったことがわかった。犬というやつは、そこにいるだけで気になるものだということが、わかりはじめたのだ。そうじゃないか、いったいなんのために、そこにいたりするのだ？　しかも、ただいるのではない。ぼくらが存在させてやるから存在しているのだ。そんな意味もないものを、ぼくがわざわざ存在させてやらなきゃならないという理由が、さっぱりわからなくなってきた。意味があれば気にしないですむ。意味がないから、気になるんだ。ピストルがあれば、パンと一発と思ってにらんでいると、いきなりキイと悲鳴をあげて床にしがみつく。なんとも下劣で無意味なんだな。

それにシャクなのは、やつの食物の好みさ。犬のくせに、骨がくえない。冷たいものはだめで、熱いものが好きである。酒もいいものなら、かなり飲む。だが、やつの一番の不気味さは、なさけないくらいのだらしなさの反面、ときおり人間の言葉がわかるのではないかと思われるような反応をしめすことだった。ある日、やつの便器を洗って窓に干しておいたとき、便意をもよおしたらしく、いつもの場所をくんくんかぎまわってケゲンそうな様子でいるのが、ひどくおろかしく見え、やはり犬知恵だよと女房と二人で笑っていると、やつは急にどこからか古新聞をさがしだしてきて、その上に脱糞《だっぷん》すると口できれいに包みこんでしまった。それだけならいいのだが、その包みをくわえて、ぼくの膝《ひざ》の上におき、いかにもたのしそうに女房の足にじゃれついていくではないか。それ以来、やつがぼくと女房の話にじっと耳傾けているのをみると、遠慮してつい言葉をひかえてしまったものだった。『利口なハンスの錯誤の言葉』どおり、ぼくの思いすごしであって、犬に言葉がわかるはずがないとは思いながらも。

やつを訓練してやろうと思いたったのは、まずはじめに、警戒心というものが爪《つめ》の垢《あか》ほどもなく、家のものよりも他人に対して甘えかかり、たとえそれが屑屋であっても、よろこびの興奮ですぐにも宙返りしてしまうという、他愛のなさに我慢しきれなくなったからだった。とくに、研究所のガキどもが外をうろつきはじめてからは、その程度がひどくなった。窓の下でやつがてんてこまいをしはじめる。見るとかならずガキどもがこちらをうかがっているではないか。なんとも浅ましくて、やつを半殺しにしたいと思うのだが、あんたの愛情がたらないせいよ、と通俗的なセリフで女房にさまたげられると、ぼくは理性をとりもどしてじっと我慢した。やつはギョロリといっかいい白眼をむいて、勝ち誇ったようにぼくを流し目に見る。ぼくはやつが一人前の犬になってくれたら、もっと犬らしい意味をもつようになったら、こんな情ない思いはしないですむのではなかろうかと、シェパード訓練の方式にしたがって、スパルタ式改造をはじめたわけだった。

……が、効果はまるでなかった。訓練をはじめると、やつはあっさり仰向けになり、ころがされたクモか甲虫《かぶとむし》のように、完全降伏を表明してしまうのだ。どうにも手のつけようがない。おまけに、ちょっとでも手荒なことをすると、必要量の三倍以上の声をはりあげて泣き叫ぶ。ぼくはきっと、隣近所から、ひどいサディストだと思われたにちがいない。

そこでぼくは方針をあらためた。こいつは特別に頭が大きい。もしかすると本当に利口なのかもしれない。突然変異で生じた、未来の犬かもしれないではないか……学者犬に仕立てたらどうだろう?……莫大《ばくだい》な金でサーカスが買いにきたら、金には眼のない女房のことだ、よろこんで手離すにちがいない……金が入るうえに、犬を追っぱらうことができる……一挙両得だというので、いままでとは反対になるべく人間の生活にひきいれるような訓練をこころみることにした。それに女房もこれには興味をもって、積極的に協力してくれた。やつはいい気になって、三倍以上も甘ったれ、しかしどんどん上達して、気味のわるいほど人間に似てきた。やつは紙をつかって鼻をかむことも、タバコを吸うことも、ふてくされた仕種《しぐさ》で唾《つば》をはくことも、それから最後に、うなずいたり、かぶりをふったりすることもおぼえてしまった。ただ笑うことだけはなかなかおぼえなかった。笑いの心理を理解することはやはり無理だったらしい。秋のグループ展に出した例の絵は、やつが笑おうとして苦しんでいる表情が面白かったので、ちょっと描いてみようという気になったのだ。犬のモナリザといったところかな。それから、これはどうでもいいことだが、女房といっしょになって以来、ぼくは抽象主義に完全に興味を失った。君の説に頭をさげる。ぼくはずっとリアリストになったようだ。

そして恐るべきことは、あの絵をかきおわった、ちょうどその瞬間にはじまったのだ。女房は外の台所で洗濯をしていた。やつはベッドのうえで、ぼくらが食ぬいて我慢しているというのに、ゆうゆうとジャムつき食パンにかみついているところだった。ぼくは絵筆をおいて、ほっとしながら、最後にキャンバスとモデルを見較《みくら》べるために、やつに「笑え」と命じた。するとやつが、本当にニヤリと笑ったではないか。ちえっ、とうとう笑いやがった、いい気なもんだ、ゆううつな気持でなにげなくつぶやくと、「いい気なのは、自分じゃないか、」と、不明瞭《ふめいりょう》だが、意味ははっきりとれる言葉で、やつがうめくように答えたのだ。ぼくは気が遠くなるほど驚いた。足の力がぬけて、自然に坐《すわ》ってしまった。なにか言い返そうと思うのだが、胃の中の大きなかたまりが、ぴくぴく動悸《どうき》をうって、声にならない。妻が戻ってくる足音がした。全身の力をふりしぼり、やっとのことで犬にたのんだ。おねがいです、女房には口をきかないでください。あんたがいきなり喋《しゃべ》ったりしたら、ショックで女房の心臓けとまってしまうかもしれません。ぼくがいいというまで、どうぞ、黙っていてください。

……やつは、恩きせがましく、鼻の先でうなずいた。

犬も口をきくようになると恐ろしい。やつが、その晩、女房が寝つくのをみはからって、ぼくの耳にささやいた言葉を書いてみようか。やつは言った、犬だってそう馬鹿《ばか》にしたもんじゃないんだよ、人間が何を考えているかくらい、ちゃんとわかっていたんだよ、あんたはさんざん私を馬鹿にしていたね、しかし私にだって立派な犬歯があるんだよ、人間の皮をはぎとるくらいわけはないんだよ、あれは処世術というものさ、甘えたふりをしたって、するだけの計算はしてあったし、腰をぬかす真似《まね》だって、ちゃんと成算はあったんだ、いいかげんにしないと、ひどい目に合わすよ、あんたなんかに、私をしばりつけておく資格はないんだから……

(君なんか、犬がこんなことを言うなんて、考えた事もないだろう。)

さて、十日ばかり前のことだ。展覧会のプログラムが郵送されてきた。それに眼をとおしていた女房が、とつぜん顔をあげて、ぼくにくってかかったのだ。「あれが、私の顔のつもりだったのね。新米の研究生だって、あんなにまずく描けやしないわ。」それから、甘ったれた常識的な言葉しか言えないのだろうと思っていたその口から、聞いたこともないような珍しい表現が限りなくとびだしてきて、ぼくをちぢみあがらせてしまった。弁解はできなかった。なんの間違いか、プログラムにちゃんと印刷されてあったのだ……『妻の顔』—S作。そして翌朝、妻が姿を消していた。

ぼくは犬をベッドの脚にくくりつけ、猿ぐつわをかませた。やつは本性をあらわし、あばれて、脛《すね》と腕の二カ所にかみついた。しかし、今のところは、人間のほうがまだ強い。やつは、直立していないので、頭の重さを支えきれない。さらに、気の毒なことには、指が使えないという決定的な弱みをもっている。が、さるぐつわをかませる寸前に、やつが叫んだ言葉はこうだった。「うぬぼれるなよ！　主人でないものは、いずれ負けるんだ！」

……ぼくは犬と闘った。これからも闘いつづけるだろう。だが、結婚のことについてなら、おあいにくさま、ちっとも後悔なんかしていない。君に言われなくたって、女房の愚劣さはぼくがいちばんよく知ってるんだ。短い共同生活だったが、ほとんど絶望的な苦悩の連続だった。彼女は食物を口に入れるまえに、ちょっとニオイをかいでみないと気がすまない。ありったけヨダレが流れるほど口の中におしこんで、できるだけ大きな音をたてて嚙《か》まないと、よく味わえない。いつも孫の手をもっていて、たえずどこか掻《か》いていないと気がすまない。それに、指輪に異常な関心をもっていて、両手に三つずつ、それも一日に一度、交換せずにはいられないのだ。むろん、抱きしめてくれる男は、みんな好きだ……

それでも、ぼくは待つだろう。犬と闘いながら、待ちつづけるだろう。そこで、どうか、ぼくのために、挿画《さしえ》の注文でも世話してくれないか。

犬のやつ、今もすごい眼をして、ぼくをにらみつけている。あいつは利口だから、そのうちロープを解く方法を見つけ出すかもしれない。それに、ぼくと同様、あいつも今や餓死線上にいるんだ。それが、どういうことを意味するか、君にだってわからないはずはないだろう。お願いだから、手を貸してくれ。これでもぼくは、人類のために闘っているつもりなんだ。

（「改造」昭和二十九年三月号）

変形の記録

八月十四日、ぼくはコレラにかかり、部隊はぼくを馬小舎《うまごや》にとじこめて出発してしまった。夕方になって、やはり北から敗走してくる別の部隊が通りかかった。ぼくは馬小舎からはいだして、手をふった。しかし、誰も立ちどまらず、振向いてもくれなかった。

ぼくはゆるやかな、石だらけの斜面にころがって、ひろすぎる空をながめていた。厚みのある鉛色の雲の底が真赤にかがやき、しだいに傾きながら、いまにもぼくの上に落ちかかってきそうだった。目をとじると、遠くのほうで、風の塊りが地面をこすりながら互いにぶっつかりあう音がした。南のほうからザラザラと、空気に砂がまじりはじめた。急に、喉《のど》がほてって、水のことを思うと、気が遠くなりそうだった。しかし、水筒は、もうカラッポだった。

下半身はたえまなく流れだす水便でぐしょぐしょになっているのに、上半身は古いひからびたパンよりも乾ききっていた。乾燥ウメを舌にのせ、しぼりだした唾液《だえき》をのみながら、ぼくは水のことばかり考えた。たまらなくなって、地面に爪《つめ》をたて、せめてしめった土のにおいでもかごうとしたが、砂の下にあるのはカワラのように固まった粘土だけだった。

　ぼくは斜面をおり、街道のまんなかに横になって「水」がやってくるのを待つことにした。地面は焼けていた。ぼくは蒸発するのを恐れて、呼吸を節約した。間もなく、正面に機関銃をすえた、一台のトラックが、北のほうから全速力でやってきた。ぼくのすぐまえで急停車すると、一瞬、砂ぼこりにつつまれて見えなくなった。ほこりが晴れ、ふたたび姿をあらわしたトラックの窓から、運転手が腕をふりあげて大声で叫んだ。「どけ！　ひき殺すぞ！」ぼくは地面に頭をこすりつけ、水……水……水と、ただくりかえした。トラックにのっているのは、将校たちだった。将校たちはいっせいに立上り、疑わしげにぼくを見た。水……水……水と、くりかえし、もう一度ぼくは地面に頭をこすりつけた。一人の小柄な色の黒い少尉《しょうい》がとびおりてきて、二メートルばかりのところから、サイダー瓶をなげてよこした。受けそこねて、こぼれた水が、黒く地面にシミをつくった。とびついて、瓶の口にかみつくと、瓶か歯か、どちらかが欠けてガリッと鳴った。その水には水銀のような重みがあった。ぼくは全身、喉だけになっていた。

　夢中になって、放心したぼくの眼に、ふと、ピストルの銃口がうつった。はじめぼくは水道の蛇口をのぞきこんでいるような錯覚におちいった。まだよく事情がのみこめないでいるうちに、鼻が後頭部にむかって裏返しにひきむしられたような感じがあり、鋼鉄の塊りがぼくの中をつきぬけてとおった。そしてぼくは死に……その瞬間から、ぼくは魂になったのだ。

　魂になったぼくは、すこしはなれて、ぼくの死体をみた。この半日で、ぼくの体は、木彫りの仙人のようにひからびてシワだらけになってしまっていた。そのせいか、眼の下の、射ぬかれた傷跡からは、ほんのすこししか血が流れていなかった。それで、眼の下に、もう一つべつの眼ができたように見えた。

　ぼくは自分の死体をいとおしく思い、すこし悲しくなった。ぼくを射《う》ち殺した小さい少尉は、ぼくの死体を足でころがして、道ばたにおしのけようとした。「よせよ、コレラがうつるぜ」と、トラックの上からべつの将校が声をかけた。彼はあわてて足をひっこめ、トラックにもどった。ぼくも、そのあとについて、はい上り、空いている場所に席をとった。むろん、誰も気づきはしなかった。

　トラックはぼくの死体をひきつぶして動きだした。左腕がちぎれ、左足が、さかさに折れてつっ立った。まるで、過去と未来の境界をしめす標識のようだった。過去はどんどんと遠ざかり、小さくなっていった。やがて、地面のうねりに吸いこまれ、消えてしまった。しかし、過去は、ぼくの中にとどまっていた。車輪の下からたえまなく湧《わ》きおこる砂ほこりの渦を見つめていると、つっ立った足の標識が、どこまでもぼくらを追いかけてくるのが分った。ぼくはいくども、トラックから飛びおりて、その足をだきしめたいという誘惑にかられて苦しんだ。

将校はぜんぶで四人だった。少将が一人、中佐が一人、少尉が二人。ぼくを殺したのは、その二人の少尉のうちの一人である。わりに小型なトラックだったが、それでも四人だけのためにはゆとりがありすぎた。そのゆとりに、ぎっしり荷物がつめこまれていた。きちんと四角に荷づくりしてあるのは、食糧と弾薬とガソリンである。あとは、ふつうの引越荷物のように、雑然とつみあげられたガラクタである。ストーブ、折たたみ式の椅子《いす》、紙にくるんだ天皇の写真、スリッパ、天幕、ヤカン、錫《すず》で鍍金《めっき》した貯水用兼入浴用のドラム罐《かん》、一升ビン……それから、そうだ、一尺ほどもあるジンム天皇のブロンズ像があった。湯タンポもあった。

「どうにもしようがありませんですなあ」と中佐のとなりにいた関節が外れたように手足の長い、眼鏡の少尉が言った。

なにが？　というふうに目をあげた中佐は、しばらく少尉の顔をみつめていたあとで、気がなさそうにうなずき、また地図に見入った。地図には赤や青のしるしがついていた。赤い一本の太い線が、南にむかってのび、地図を二つにタテに切っていた。もう一枚の地図をとりだして、つないでみると、やはり赤い線がまっすぐ南にむかってのびていた。

「いま、なにを相談したんだね？」

と、ストーブにもたれて、脛《すね》に灸《きゅう》をすえていた少将が、中佐のほうにのりだしてたずねた。すると、白い眉毛《まゆげ》の先から汗が一滴、中佐の地図の上におちた。中佐は、指先でその汗をおさえ、上目づかいに見て、表情をかえずに言った。「べつに……」「いや、なにか相談したはずだ」と少将は、うすいしわだらけの皮膚の下で大きな喉仏を上下させながら、疑いぶかそうにくりかえした。中佐は毛をむしった鳥のような顔を、トラックの振動にあわせてふりながら、不思議そうに少将の眼を見返した。少将の喉仏がとまり、その粉をふったような顔に赤味がさした。やっと思い出したらしく、中佐の頰にかすかな笑いがうかんだ。

「そうか……」といって、となりの少尉をふりむき「南少尉、さっき、なにか言ったようだったね？　閣下がおたずねになっている」……考えこんでいた少尉は、ハッとして、あわてて答えた。「コレラのことであります」

「コレラだと？」急に中佐の上まぶたが、不機嫌そうに一直線になった。「コレラが、どうしたというのだ、南少尉、おまえは兵隊のことを考えていたのだろう。戦場では、兵隊を人間とは思うな、兵隊は銃の引金をひく指だ。それに、さっきの兵隊は、もう兵隊ではない。コレラにかかった兵隊は、兵隊の形をしたコレラなのだ。あの兵隊のために、われわれは、コレラを射ち殺してやったのだ」

「私は、コレラが、タイヤにはりついておるのではないかと、心配しておったのであります」

「いや、南少尉、おまえは兵隊のことを考えていた。しかし、兵隊の値打はその命にあるのではない。わが皇軍が亡《ほろ》びないかぎり、兵隊というものは死んでも生きている。兵隊のためを思えばこそ、われわれはどこまでも生きのびなければならないのだ」

「中佐殿、私は……」

「そうだ、南少尉、おまえの心配するとおり、コレラは、このトラックの上にも、まぎれこんできているのかもしれない。もしこのトラックの上で、コレラが発見されたら、おまえはどうするか？」

「射殺いたします、中佐殿……」

「よし」と中佐は毛ぶかい大きな手で地図の上をなで、聞き耳をたてている少将の半開きになった黒い唇をちらと横目でにらみながら、顎《あご》をひいてまた地図の上に顔をふせた。しかし、日ざしは、もう紫色をおびて地図のこまかい線は見えにくくなっていた。中佐は地図をとりあげ、赤く地平線でもえている最後の夕日にかざすようにした。すると地図は、のがれようとする小鳥のように、しきりに羽ばたいてやめようとしなかった。

とつぜんブレーキがかかり、運転台の下士官がふりむいて窓をたたいた。中佐が通話筒をつかんで耳にあてた。通話筒が言った。「部隊の最後部が見えてまいりました」

「よし」と中佐は運転台の屋根の上にのびあがって、双眼鏡を目にあてた。ぼくを射った小さい少尉が、同時に立上って、機関銃に手をかけた。中佐は双眼鏡で、ぐるっと一度四方の地平線を見わたしてから、そのままの姿勢で通話筒に命じた。「この位置で、出発命令を待機せよ」

「いまから十分間、食事をせよ」

眼鏡の少尉が、携帯食糧を二人分、窓ごしに運転台の下士官に手渡した。下士官が、その半分を、運転手の兵隊に渡した。しかし、トラックの上の連中は、べつに食事をはじめる様子もなかった。彼らは、しじゅう食べつづけなので、あらためて食事をする必要はなかったのかもしれない。ただ、閣下だけが、指で入歯の具合をなおしてから、ジャムのカンを開けはじめた。

中佐が眼鏡の少尉に言った。「この調子でいって、部隊がY岐点を通過するのは、いつごろになると思うかね？」

少尉は地図をうけとって膝《ひざ》の上におき、懐中電燈《でんとう》でてらしながら、波のようにうねって消えていく灰色の地平線とみくらべた。「そうです、Y岐点まで、たしか、あと一キロくらいなものでしょう。もしかすると、部隊の先頭は、もうついているころかもしれません。落雷で折れた古い柳の木がめじるしです。小さなきたない池があって、その向うが次の町まで例の湿地帯になっているのです」

カン切をさしこんだところから、音をたててふきだしてきた赤いゼリーを、あわてて指でおさえながら、閣下が不安そうに言った。

「で、八時までに、間にあうんだろうね？」

「閣下、ご心配なく」と中佐が首だけでふりむいて答え、少尉の手もとをのぞきこみながら、すぐうしろにいるぼくにも聞きとれないくらいの小声で少尉になにか耳打ちした。

「なんだ、なにを相談してる」と閣下があわてて乗出してきた。中佐はうすい唇のはしをふるわせて、かすかに笑った。少尉は自分自身をこばむように体を固くして、地図の上に顔をふせた。そのまくりあげた肘《ひじ》から、つづけて二滴、汗のしずくがしたたりおちた。

閣下はジャムのついた指をすばやく口の中におしこみ、喉仏をふるわせながら、ほこりっぽい眼で中佐の顎のあたりをじっと見つめた。その顎は二つにわれて、すりむけたような色をしていた。中佐はシャツの襟にその顎をこすりつけながら、立上って、上眼づかいに小さい少尉の単純な横顔をみた。小さな少尉は、あいかわらず機関銃の引金に指をかけたまま、じっと前方をにらんでいた。

小さな少尉の首が不審げに傾き、唇がけいれんした。ふりむいて、中佐の視線と出あうと同時に、薪を折ったように短く言った。

「見てください。部隊が停止しました!」

中佐は双眼鏡に眼でかみついた。かくしきれない狼狽《ろうばい》が両肘で無遠慮にふるえていた。「感づいたな」と下唇をつきだし、双眼鏡から片目だけずらして、しばらくじっと眼鏡の少尉のおびえた顔をみつめていたが、眼をとじ、ほっといちど肩でながい息をしてから、ゆっくり口をひらいた。「南少尉、街道をとおらずに、K河の鉄橋の向うまでわれわれを案内していけるかね?」

眼鏡の少尉は、答えずに、そっと閣下の様子をうかがった。閣下は、あわてて、中佐のシャツの裾《すそ》をつかみ、信じられんというようにはげしく首をふった。

「南少尉」と中佐が言葉をつづけ、「赤軍が、K河鉄橋に達するのは、おそくとも明朝十時までだという情報が入っている。われわれはそのまえに、できれば夜明けまえに渡ってしまいたいのだ」

「なぜだね？」と、閣下が中佐にほとんどつかみかかるようにして言った。「八時に最後の軍用列車がP町をとおるのだ。なんだってまた、K河なんかに行くのかね」

「御心配なく、閣下」

「じゃ、すぐ出発したらどうだ」

「そう……しましょう」

中佐は、すっかり黒っぽくなった空を見上げ、指を折りながら、ゆっくり足ぶみをした。灰色の空の上で、鉛色の雲が、ちぎれて飛んでいた。遠くのほうから、うめくような草原の音がひびいてきた。

「自信がありません」と南少尉が小きざみに言った。「草原は、海のように、迷いやすいのです。おまけに、今夜は星がみえません。このへんは、街道をはなれたら、土地のものだって迷うのです」

「それでも、われわれは行かなければならんのだ。南少尉、われらの使命は、迷うことを許さない。迷うことはできないのだ」

「私は使命を知りません」

「知りたいかね？……知りたければ、聞きなさい。われわれは、山をこえ、山にこもって、最後まで闘うのだ。山には、あらゆる部隊から、えりすぐりの兵が一万、集まってくる。本土が敗れても、われわれは闘いつづけるのだ。皇国はつねに、われわれがふむ土地とともにある。われわれは、飛行機で、大元帥陛下《だいげんすい》を、山におむかえ申しあげることになるだろう。このトラックには、そのための軍資金がつみこまれているのだ。われわれはそれを山に送りとどけなければならない。……さあ、南少尉、これでおまえは、使命を知った。案内できるだろうね」

「なぜ、街道をとおってはいけないのです？」

「やつらが」と前方を顎でしめして、「かぎつけたのさ。だから、ああしてY岐点でとまったのだ。やつらは、われわれの軍資金をねらっているのだ」

「みんな、戦争は終ったと思っているのです」

「だから、コレラは殺さなければならないと言ったのだ」

「中佐殿、コレラは殺さなければなりません。しかし、それは、兵隊を救うためです」

「兵隊ではなく、おまえは、人間というつもりだったのだろう。臆病者《おくびょうもの》の考えることだ。人間がいるから、コレラが育つのだ。コレラをなくすためには、人間をなくしてしまえばいい」

「P町に行くのだ。津村中佐、P町に行くのだ」と閣下が刀のサヤで中佐の古靴のカカトをたたいてわめいた。

「閣下、ご心配なく」

「心配だよ。おまえたちの言うことを聞いてると、心配しないわけにはいかんじゃないか。わしは、国に帰って、金魚を飼わなけりゃならんのだ」

「さあ、出発しよう」

「中佐殿、私は案内できません……私に分ることは、ここから、南々東の方向にまっすぐ行けばいいということだけです。うまくいけば、朝までに、K河のふちに出られるでしょう。私は、ここでおろさしていただいて、部隊といっしょにまいります」

「南少尉、もどれ！」

　と中佐の声が追いかけたときには、少尉はもうトラックから半身をのりだしていた。そのうしろから銃声がひびいた。中佐のわきで、小さな少尉が、まだ煙のでているピストルをかまえたまま、しかられたいたずら小僧のように目尻《めじり》をさげていた。眼鏡の少尉は、ぎゅっと前こごみに体を折るようにして、静かにころげおちた。おちてから、血がふきだして、首すじをぬらした。

しかし、彼の魂は、トラックのふちを両手でささえ、片足をかけた姿勢で、まだトラックの上にいた。ふしぎそうに、こちらをふりむき、ぼくに気づくと、ハッとして手をさしのべ、なにか言いたそうにしたが、すぐに死体のあとを追って自分も飛びおり、死体の上にかぶさるようにして膝をつくと、声をたてて泣きはじめた。

「なにを……なんていう……」と閣下が、ジャムの中に指がめりこむのも忘れて、カンをぎゅっとにぎりつぶしながら、ほそいふるえ声でいった。

「気になさらないでください」と中佐は、わきをむいたまま腹立たしそうに言い、通話筒にむかって命じた。「出発……街道をはなれて……方角は南々東……時速百十キロ……」

「P町には！」と閣下がほとんど叫ぶように言った。誰も返事をするものはなかった。エンジンがかかった。

「閣下！」と、小さな少尉がきびしい声でとびかかり、閣下の手をおさえた。その手は、わきにつまれた手榴弾《しゅりゅうだん》をつかもうとして、のばされ、おののいていた。中佐は閣下の前に立って、冷たい目で見おろし、閣下と手榴弾のあいだに、金平糖入りの乾パンの箱をおしこんだ。トラックがぶるっとふるえ、大きく左右にゆれた。

「少尉どの、出発ですよ」とぼくは死んだ眼鏡の少尉の魂をよんだ。少尉は、涙で融けたような眼でぼくを見上げ、ちょっとためらったが、ぼくが手をさしだすと、すなおにつかまってあがってきた。

トラックがぐっと前のめりに、街道をはなれて、深い草原の中に浮んだ。なん千本という茎や葉が、いっせいにトラックの腹や脇腹《わきばら》をなで、耳鳴りのようなその騒々しい静寂の中に、どんな音もたちまち吸いとられて消えてしまうようだった。

眼鏡の少尉はトラックの後ろに立って、遠ざかっていく自分の死体をじっと見つめていた。もう暗かったので、すぐにぼうっとした黒い斑点《はんてん》に変り、やがて草の波のあいだに沈んでいった。

眼鏡の少尉は、腕の中に顔をふせて、つぶやいた。あれが、ぼくだったのだ。


トラックは前後左右に、もうれつに揺れ、このままの調子で一時間もいけば、つみあげた荷物の順序がすっかり逆になるにちがいないと思われた。揺れたばかりではない、ときどき一尺ちかくもはねあがった。そのたびになにかが壊れ、なにかがトラックの外にとびだした。閣下は、天皇の写真を、だきしめるようにして、毛布の中に、小さくうずくまっていた。その横で、中佐が、ウィスキーの瓶から、一滴ずつ舌のうえにたらしていた。小さい少尉《しょうい》は、消えていく最後の薄明りをたよりに、ピストルの手入れをしていたが、間もなくそのままの姿勢で眠りこんでしまった。耳の上を、運転台との仕切の突起に、血がにじむほどこづきまわされながら……。

眼鏡の少尉は、腕の中に顔をふせた姿勢のまま、さっきからじっと石のように動かなかった。

「少尉どの、食事にしませんか?」とよびかけてみると、彼はびっくりしたようにぼくをみて、疑わしげにいった。「ぼくらに、食事ができますか?」

「どうでしょうか」と、ぼくは彼のわきにならんで坐《すわ》り、自分でも変な気がした。べつに確信があって言ったのでも、考えて言ったのでもなく、ただ、日常的な気分をとりもどしたいと思って、口をすべらせただけのことである。「食べたいような、食べられるような、気はするけど、気がするだけで、きっと、だめでしょうね。……しかし、少尉どの、まねはできますよ」

「少尉どのはよしてください」と彼は不機嫌そうに眼をふせて、早口に言った。「生きているときの、まねなんか、する必要ない」

「なるほど」……ぼくはおかしいような、そのくせすこし恐いような気がしはじめていた。

「そう言ってくださって、ほっとしましたよ。じゃ、さっそく、名前でいきましょうか……南さんでしたね……ぼくは、Kといいます……じっさい、こうなってみると、階級なんて、意味ないですからね」

彼は返事をするかわりに、ひかえめに鼻をならした。しばらくあいだをおいて、ぽつんと、思いだしたように言った。

「……しかし、ぼくは、やはり生きているときのまねをしたがっているようだ」

「それじゃ、やはり少尉どのと呼びましょうか？」

「からかわないでください」

彼は、いまいましげに肩をゆすって、また腕の中に顔をふせてしまった。

トラックは相変らず、いまにも粉々にくだけてしまいそうに激しく振動しながら走りつづけていた。走っているというより、四方からおそろしい力でこづきまわされているといったほうが近かったかもしれない。中佐は、ウィスキー瓶をかんで、歯をガチガチ鳴らしながら、まっ暗な空の中に見えない星をさがしていた。閣下はストーブと乾パンの箱のあいだではさみうちにあって、振動のたびに大げさなうめき声をたてるだけ。小さい少尉は相変らず、壁の突起にこづかれながら眠り呆け、ときどき夢の中でニワトリのような悲鳴をあげていた。

ふと、ぼくは、自分のことを考えた。いったいぼくはどうするつもりなのだろう。ぼくはもう死んだのだから、なにもしないでおこうと思えば、なにもしないですむ。じっとしていたいと思えば、誰にも何もいわれずに、いつまでもじっとしていることだってできるのだ。ちえっ、こりゃ、たいしたぜいたくじゃないか。朝は、いつでも、すきなときに起きればいい。目がさめても、フトンの中でぬくぬくと寝たままタバコをふかしてやろうぜ。つまり、むろん、タバコをふかすことができればだ。できることなら、どんなことでもできる。しないでおこうと思えば、なんにもしないですむ。

「いいかげんなことは言わないでください！」と、とつぜん眼鏡の少尉がはげしい語調で、ぼくをさえぎった。するとぼくは、考えをそのまま口にだして喋《しゃべ》っていたのだろうか？　うっかりしていた。気がつかなかった。しかし、ぼくはすこし腹がたってきた。

「むろん、ぼくは、いいかげんなことを言いましたよ。いいかげんでないことを、考えたくないばっかりに、むりして考えていたんです。どうにもならないことを考えるくらい、つらいことはない。そうでしょう、ぼくは生きているあいだだって、そのことで苦しめられつづけてきたんだ。もしぼくが、やつらを憎んだりしたら、苦しむのはやつらでなくて、けっきょくぼく一人きりじゃないか。生きてさえいたら……南さん……君のことだって決して許しはしませんよ」

「ああ、ぼくは、胸がはりさけそうだ」

「大げさなこと言いっこなしです。死人の胸がはりさけるなんて……」

「ちがう、ぼくは大げさにしたいんだ。君こそ、なぜそんなに意地のわるいことを言うんだか、わけが分らない。君が、いいかげんなことを考えたのと、同じことじゃありませんか」

そして、また、眼鏡の少尉は大声で泣きはじめた。実をいうと、ぼく自身も、いまにもこみあげてこようとする悲しみのケイレンを、やっとのことで噛《か》みころしていたのである。肉体がないことが、こんなに悲しいことだなどと、生きているあいだは想像もしなかった。もし、分っていたら、もっと別な生きかたをしていたかもしれないのに……。しかしぼくは彼が泣くのをとめようとは思わなかった。彼が泣きやんだら、こんどはぼくが泣きだしそうだったからだ。一つ、皮肉な気持になってやろうと思うのだが、あぶなっかしい積木をつんでいるようで、どうもうまくいかない。そのとき、ふと、ぼくは奇態なことを発見したのである。

「南さん、見てごらんなさい」

眼鏡の少尉は、泣くのをやめ、一寸ほど顔をあげて、上目づかいにぼくをみた。

「そら、見てごらんなさい。ぼくは、まるで肉体があるみたいに、トラックの振動に合わしてゆられている」

するとと南少尉は、口をゆがめて嘲《あざ》けるように言った。「お人よし……気がつかなかったんですか？　もっとよく、ぼくを見てごらんなさい。ぼくもゆられている。しかし、ゆられているつもりでいるだけのことなんだ。その証拠に、車の振動とぼくの振動とは、ぜんぜんくいちがっているじゃないですか。だから言ったんですよ、生きているときのまねをしたがっているんだって……まねがしたい、そっくりそのままのまねがしたい……だけど車の振動はひどく不規則で予測できない……ぼくはこんなことを、君が手をかしてくれたときから気づいていたんです。ぼくは君の手につかまるふりをした。つかまるふりができるだろうという期待のためだけで、ぼくは自分の死体をふりすてて車にもどったんだ……」

そういうと、彼はまたわっと泣きだした。ぼくは唇を嚙みきってしまいたいような後悔におそわれた。なるほど、ぼくもゆられているつもりになっていただけのことらしい。それを意識すると同時に、トラックの振動のこと以外考えられなくなってしまっていた。ちょうど、死ぬまえに、水のこと以外考えられなくなっていたように……ぼくは、トラックの振動に合わせようとして、もう死にもの狂いだった。

とつぜん、我慢しきれなくなって、両手で顔をつかみ、ぼくもありったけの声で泣きはじめた。泣きながら、これは容易なことでは泣きやめられないぞと思った。死人には、きっと泣きくたびれるということがない。たぶん、どんなことにも、くたびれるということはできないらしい。それに泣いていれば、すくなくもこれ以上わるいことはあるまいという、一種の解放感のようなものもあったのだ。文明人ほどよく笑い、原始的な人間ほどよく泣くと、誰かが言ったような気がするが、まあよろしい。

街道をはなれてから、もうかれこれ三時間はたっていた。ふいにブレーキが鳴り、くだけるような音をたてて急停車した。草原がさけ、すぐ正面に、中国人の小さな部落の門が、防空用ヘッドライトの赤い光に照らしだされていた。その中から、一人の老婆《ろうば》の姿が立上った。老婆は、両手をひろげて立ちふさがると、部落の中に向って、うなるような合図の叫びを叫びはじめた。「射《う》て！」と、中佐は小さい少尉にむかってうに言い、通話筒にむかって命じた。「かまわず、つっきれ！」

機関銃の弾にひきさかれて、黒いなめらかな夜の空気が悲鳴をあげた。老婆は宙をかきむしるような動作をくりかえしながら、二、三歩すすんだが、そのままうつぶせに倒れて、もう起上らなかった。トラックは老婆の腕をひきつぶして進んだ。しかし、そのかたわらには、すじばった腕をまっすぐつきだした老婆の魂が、いかりに満ちたまなざしで、ぼくらをはげしくせめていたのである。

トラックはまっすぐ、部落をつっきった。粘土の塊りのようなその部落は、ひっそりとして、物音一つ聞えなかった。もし、住んでいる生物がいたとしたら、粘土の人形だろうと思われたほどだった。だがそれはずいぶん身勝手な想像だった。ふと顔をあげて、土塀やそのむこうの草ぶきの屋根をみたとき、ぼくは全身の毛穴がいちどに針の穴ほども開いたような戦慄《せんりつ》を感じた。何十人という、老若《ろうにゃく》さまざまな死人たちが、目をむいてぼくらをにらみつけていたのである。ほとんど同時に、死人たちが、ありったけの罵声《ばせい》をトラックにむかってぶつけはじめた。足をふみならし、拳《こぶし》をふりあげ、あるものは手当りしだいのものをつかんでほうりなげようとした。むろんなんにも、とんできはしなかったが。

しかし、それも一瞬のことだった。部落をとおりぬけると、道があり、その道を横切って、トラックはふたたび草原の中に浮んでいた。

ぼくは考えこんでしまった。いま、ぼくの心を占めているのは、いままでぼくの知らなかった感情だ。この新しい未知の感情を、どう名づけたらいいのか、ぼくには見当もつかなかった。名づけられないものが残っていたというゆううつで、ぼくの心は沈みきっていた。

とつぜん眼鏡の少尉が笑いだした。むろん愉快そうな笑いではなかったが、ぼくは歯ぎしりをしたいような気持だった。ちがう……ちがう……君は、まちがっている……。

「まったくだ、大ちがいですよ」と南少尉は歯をカチカチいわせながら上ずった声でぼくの腕をつかんだ。「君はこのトラックがどこを走っているんだと思います。ぼくは計算してみたんだ。この運転手には、きっかり一分間に一度ずつ右にまがっていくくせがある。三時間で百八十度……だから、いま通ったのはP町と半里もはなれていない街道ぞいの部落なんですよ……六時間で三百六十度……そこでまたぼくの死体があるところに出るだろう。九時間たって、夜が明けたころ、やつらはもう一度この部落にぶつかって、やっと事情を飲込むというわけだ。しかし、もう、おそすぎる。赤軍がP町を占領してしまっている。よろしい、どうぞ腹いっぱいに弾丸をおつめください、だ。ふん……」

すぐ真上の空で、雲が二つに分れたかとみるまに、火をふいて燃えあがり、トラックの中をまっ白に照らしだして、消えた。つづいて、全速力で走っていた機関車が、砂利の山にとびこんだような音がした。閣下が、ストーブと乾パンのあいだから飛出してきて、ぼくのすぐまえで腹ばいになった。その下にヤカンがあった。それで、そのヤカンが、閣下の胸にだかれていた天皇の写真をみじんに打ちくだいた。もしかすると、ヤカンは、ついでに閣下の胸も傷つけたのかもしれない。しばらく閣下はうめき声もたてずにじっと横になっていた。

「閣下は入歯をおとしたようだぜ」と南少尉が嘲るように言い、その指さす方向をたどってみると、なるほど腐ったような入歯が二つに折れて、その半分がドラム罐《かん》の下敷になっていた。「かりに、ぼくが生きていたって、おしえてなんかやるもんか」

ぼくは不思議に思った。非常に不思議だったので、思ったことをすぐ口にだして言った。「しかし、南さん、ぼくらはどうして見えるんでしょうね。まっ暗なはずなのに……?」と、言いおわらぬうちに、一切が暗闇《くらやみ》につつまれて、なにも見えなくなってしまったのである。

「ああ!」と南少尉がかすかな叫び声をあげた。「忘れていたんだ、いっそのこと、忘れたままでいたほうがよかったのかもしれない。夜が暗いことを思い出すと、すぐ、夜が暗くなる」

「本当だ、思い出すたびに、ぼくらは不自由になっていくんですね」

「君も、もう、見えないでしょう？」

「なんにも……ぼくはもう、自分がどこにいるかさえ分らないくらいですよ……しかし、べつに後悔しようとは思わない。むしろ、今まで見えていたことのほうが、不自然だったと思いませんか？」

「よしましょう」と南少尉は不安そうに、しばらく間をおいてから、こんどはかすれた声で腹立たしげにいった。「ぼくらが肉体のまねをせずにいられないのは、肉体を愛しているからじゃない、肉体を忘れたいからなんだ」

「しかし、忘れようとしてしたまねが、つぎの新しい記憶を呼びさます」

「たとえば、八月は、夜でも暑いということなんかをね」

「蚊にくわれるかもしれないし……」

「喉《のど》もかわくよ」

「ぼくは、タバコが吸いたいな」

「それに、そろそろ、眠くなるころだ」

「いや、もっと大事なことがある。ぼくらは、きっと、復讐《ふくしゅう》を考えるはずだ」

……だから、と同時に言って、ぼくらはとうとうまた大声で泣きだしてしまった。

ぼくは心の中で、そっとふりむいてみる。路傍に折れてつっ立った、あのぼくの足……畜生、ブヨのやつが穴をあけて、そこに蠅《はえ》が卵をうみつけるんだろうな……蛆《うじ》で二倍にふくれあがった、蠟細工《ろうざいく》のような、ぼくの死んだ足……美しい、なんて美しいのだろう……そこで、たえがたい嫉妬《しっと》にかられて、ぼくはまたいっそう声をはりあげるのだ。肉体は、むろん、こんな泣きかたをできるものではない……分っているよ……しかし、かまわないんだ。

途中で一度ガソリンの補給をした。運転手は、ヒロポン五錠とウィスキー一杯をもらった。こうしてトラックは、毎時平均四十キロの速度で、暗い草原の中を走りつづけた。誰もが舌の先まで、興奮と疲労、目覚めと眠りの、だんだら縞《じま》になってしまって、もう口をきく元気もない。人間も暗く、空も暗い。ただ朝だけは、正確に近づいていた。そしてトラックも、正確に直径百二十五キロの円周にそってまわっていた。

トラックがその円周を、ちょうど一回半まわったときに朝がきた。夜はゆっくり立去ったが、朝はふいにやってきた。空と大地が分れると、夜は静かに草原の根もとに吸いこまれていったが、朝は数百の鴉《からす》の群といっしょにまい上って、一気に空を覆《おお》った。草原のおもては赤く波立ち、その上を白いモヤが流れた。

「来たぞ！」と南少尉《しょうい》がぼくに眼で笑いかけながら立上った。同時にトラックが息苦しそうな悲鳴をあげて草原の外に投げだされた。前に昨日の部落の門があった。うしろでは草原がまだ半ば夜の声で吠《ほ》えていた。

白く乾いたその粘土の門のわきに、点々と黒い血のしみは残っていたが、老婆の死体はもう片づけられて、なかった。かわりに、シャツ一枚の上に武装した五人の青年が、体をよせあって立っていた。その背後に、老婆をまじえた百人の死んだ魂たちが、じっとぼくらを見つめていた。彼らが死人であることは、足を動かさずにゆらゆら揺れたりすることですぐ分った。もっとも、むこうの死人たちが、ぼくら二人を識別することができたかどうかは、また別問題である。

さて、青年たちが門の左右に散開して次の行動にうつろうとするより早く、小さい少尉の機関銃が火蓋《ひぶた》をきり、それよりも早く通話筒にむかって中佐の命令が爆発していた。「ばか！」と中佐はまず叫んだ。それから、「狐《きつね》に化されたか！」とも言った。中佐はたしかにもっともっと言いたかったにちがいない。口に出して言えないところを、唇の端からよだれを流しながらうなった。眉《まゆ》がコブのようになり、怒りが顔中の静脈の中でふくれ上った。眼がとびだして、ますます鳥にちかい顔になった。しかし、いつものように、相手の答えを待って、怒りにムチをそえたりする余裕はなかった。

「いそげ！　後退するんだ！　逃げるんだ！」

その最後の言葉を言ってしまうと、中佐の顔がさっと青ざめた。いきなり、小さい少尉の機関銃のわきに擲弾筒《てきだんとう》をすえ、つづけさまに二発、部落の中にうちこんだ。トラックは大きく右に旋回しながら、頭をふって、ふたたび草原の中に沈んでいった。やっと青年たちのうつ弾が、正確にトラックの横腹に命中しはじめたころには、エンジンは、煙をはいてすでに全速力にうつっていた。

しかしトラックは、完全に逃げのびたわけではなかったのだ。ふと気がつくと、上空を、ずんぐりとした黒い赤軍の飛行機が、ゆっくり旋回しながら見張っていた。中佐が機関銃をかまえて、飛行機をうった。飛行機はしかし、見向きもしなかった。

とつぜん、閣下が中佐の手から通話筒をもぎとって叫んだ。

「停めろ！」

中佐が通話筒と閣下の口のあいだに手をいれて、嘲けるように言った。「ご心配なく、閣下」

トラックが停った。「どけ！」と閣下が言った。閣下の手には手榴弾《しゅりゅうだん》がにぎられていた。小さい少尉が閣下！　とかすれた声で呼んだ。中佐は無表情のまま一歩さがって道をあけた。閣下はふるえながらトラックのふちに足をかけ、ふり向いて、いくらか威厳をふくめた声で言った。

「私は、国に帰って、金魚をかわんとならんからね」

閣下は不器用にはいおりると、ズボンのバンドをしめなおし、軍刀の位置をととのえてから、黙って部落のほうへ歩きだした。中佐は小さい少尉にむかって、「敬礼」とつぶやくように言い、少尉が挙手の礼をするのをまって、かかえていた機関銃の引金をひいた。はじめねらいが外れて、閣下の足もとに砂煙が立った。閣下はおどけたような恰好《かっこう》ではねながら、悲しげに叫んだ。それから、ぐるっと踵《かかと》でまわって、仰向けにたおれた。

小さい少尉は恐怖に顔をこわばらせ、中佐をみつめて、涙をうかべた。中佐は眼をふせて通話筒に出発を命じた。エンジンが鳴った。南少尉がぼくにささやいた。

「行こう。このトラックはもう捕まってしまったんだ。草原に捕えられてしまったんだよ」

走りはじめたトラックから、ぼくらはいっしょにとびおりた。捕えられたトラックは走り去り、あとにはただ深い禾本科《かほんか》の草で埋められた黄褐色の空間があった。耳をすますと飛行機の爆音が風にのって波うっていた。空はびっくりするほど青かった。

ぼくら死人は、どんなところでも歩きにくいなどということはない。ただ自分自身に対する愛情から、わざと手間どって、草をかき分けたり、つまずいたりしてみせるのだ。閣下をさがすのは手間どらなかった。わだちの跡を、逆にたどってみればよかった。閣下は、つまり閣下の魂は、死体とならんで、ぼんやり空をながめていた。

「閣下、またお会いできましたね」と南少尉が声をかけると、閣下はびくっとしてとび起きた。

「ぼくらは、ずっと、御一緒だったんですよ」とぼくが言うと、閣下のこめかみのあたりが不機嫌にひきつった。しかしぼくはやめなかった。「これからも、また御一緒ですね。このへんの地理は、南君がくわしいので、たすかります」

「なに、くわしい必要なんかないのさ」と少尉がつづけて、

「なにしろ、閣下がおのぞみのP町は、街道ぞいに、あと一里もないんだからね」

「だからぼくは面白いと思うんだ……ちえっ、この草は、いやに肌をさすなあ……君、この草の名前、知ってますか！」

「さあ、あいにくぼくは都会育ちなもんで……閣下なら、ご存知でしょう」

「そうだ、自然現象に興味をおもちなんだから……金魚だとかね」

ついに閣下が軍刀の柄《つか》をにぎって「げす！」と叫んだ。

ぼくらは吹出し、すっかりはしゃいだ気持になっていた。知らず知らずに、死人としての経験を見せびらかし、得意だったのだ。つぎに閣下が、泣出すことを、内心期待していた。しかし閣下は泣かなかった。泣くどころか、閣下はくるっと振向くと、さっさっと向うに行ってしまった。どうして、その歩きかたは、堂々たるものである。刀のサヤで、軽く草の波をさばきながら……それに、あの歩調と速度の一致、ぼくだってあんなにうまくはいきやしない。ぼくらは興ざめして、思わず顔を見合せた。ありうべからざることだ。信じられないことだ。もしそういう言葉があるとすれば、死にながらにすべてを知ったものと言わなければなるまい。逆にぼくらが泣きそうな気持だった。ぼくらはただ、恐縮して閣下のあとにつきしたがった。和解の意味で、
「閣下！」と交互に一回ずつ呼んでみたが、閣下は振向こうともしなかった。

しかし、間もなく、この秘密は解けた。そのとき、ぼくらはすでに街道に出て、P町の給水タンクが見えるあたりまでやってきたところだった。給水タンクの上に赤旗がひるがえっているのが見えた。それを見上げて閣下が大きく身ぶるいした。なるほど……とぼくらは感心しあったものだ。むろんぼくらを意識しての上のことだろう。しかし、おいそれと気がつく芝居じゃない。まったく大した人物だよ。つくづくぼく

らは自分たちの幼稚さがいやになり、ほとんどすすり泣きの状態で、うなずきあわないわけにはいかなかった。……と、そのときのことである。閣下が道ばたに走りよって、パッと地面に身を投げかけた。断っておくが、ふきんに人影はなかった。むろん死人の影もなかった。

事情が飲込めないまま、駈《か》けつけてみると、いや、それはぼくらが駈けつけているさいちゅう、まだ行きつくまえにおこったことだった。そこに、黒い塊りがあった。その人はじめは柳の根株のように見えたが、どうやら伏せっている人間らしかった。その人間の上に、閣下がのしかかるように倒れると、閣下はその人間らしいものの中に吸い込まれ、消えてしまったのである。

ぼくらがそこに行きついたとき、だから閣下はもう居なかった。閣下のかわりに、息もたえだえの日本人の浮浪児と、その魂がいた。魂が離れているのに、浮浪児はまだ死んでいない。すると、浮浪児の体の中に、浮浪児の魂のかわりに、閣下が入りこんでしまったというわけなのだろう。

おどろいて、口もきけないでいる浮浪児の魂をしりめに、閣下の浮浪児はよろめきながら立上った。うれしげに、両手をうち合わせ、顔をなでたり、鼻の穴に指をつっこんでみたり、ぼくらがいるあたりに見当をつけてニヤリと笑ってから、さっさと街道を歩きはじめた。

浮浪児の魂があわてて後を追いかけた。「おい、小父《おじ》さん、困っちゃうよ。いやだよそんなこと、ね、小父さんてば……」それから、自分とそっくりの風態《ふうてい》をした閣下の後を、泣きながらいつまでもすがって行こうとする。むろん、無駄なことだ。さわれもしないし、聞えもしない。

ぼくらは、浮浪児を間にはさむようにしながら、わけを聞き、なぐさめてやった。この少年は、国境の開拓団から、家族とともに避難してきて、P町で両親がコレラにかかり、死に別れたのだという。少年は飢えていた。田舎に行けばと思って町を出て、かえって飢えて戻ってきた。町に戻りつけずに、さっきの場所で横になり、そのまま昏睡《こんすい》状態におちいった……。

ぼくは南少尉と相談して、次のような結論をえたのである。閣下は前科ものであるにちがいない。閣下であるまえにも、死人だったことがあるにちがいないのだ。やつは死人について、知りすぎるほどいろんなことを知っている。生きている人間から、肉体を盗む方法まで知っている。これは大変なことではないか。ぼくらはすっかり興奮してしまった。単に少年に同情しただけではなく、ぼくら自身の利害でもあった。三人で、最後まで閣下の後をつけ、休みなく監視して、やつの秘密をつきとめよう。

つきとめられなくても、やつが死ぬまで監視の目をはなすまい。いずれ死んで、やつもまた死人になるのは間違いのないことだ。

こうしてぼくと、南少尉と、浮浪児の三人で、ニセ閣下の浮浪児をとりかこみながら、しばらく奇妙な旅行をはじめたのである。

（「群像」昭和二十九年四月特大号）

死んだ娘が歌った……

「いまさら結婚だなんて、君はバカだよ」とKさんがいいました。そういわれてみると、ほんとうにKさんのいうとおりだと思いました。

「なぜもっと早く手紙をくれなかったんだ」とKさんは怒っていいました。でも、はじめの手紙に返事をくれなかったのはKさんです。私がわるかったのではないと思いました。

「いっそのこと、逃げだしてくれればよかったんだ！」と、とうとうKさんがどなりました。それで私は泣きだしてしまいました。Kさんには分らないのです。逃げだせば、私はすぐに道にまよってしまうのです。

「泣け泣け」とKさんは私のまわりをぐるぐるまわりながら言いました。「君はすこしも自分を大事にしなかった。だから君にはぼくの気持がすこしも分らない。でも、いいことを教えてあげようか。犬は自分で死ぬことができないが、人間は自分で死ぬことができるんだ。それも分らなきゃ、犬みたいにキャンキャン鳴いていろ」

本当に私は犬みたいに泣いているのかしらと思うと、心配になって自然に泣きやみました。泣きやんで、ふと顔をあげると、いつのまにかKさんはいなくなっていて、

Kさんがすわっていたフトンのうえには、かわりに小さな睡《ねむ》り薬のビンがあるだけでした。

私はKさんが睡り薬にかわって、私に死ねと言っているのだと思いました。そう思うと、ほっとして、急に死にたくなりました。最初に一〇錠のんで、三、四分たつと、なにか恐くてたまらないような気持になり、いそいで残りぜんぶを飲みこみました。棒クイになって、木槌《きづち》でゴンゴンたたかれているような気がしているうちに、私はぐっすり睡ってしまっていました。

気がついてみると、私は魂になって、自分の死体のそばにすわっているのでした。部屋はもとどおり四角でしたが、全体がすこしずつちぢんだようにみえました。私の死体もちぢまって見えました。すこし困ったような顔をして、左の眼を薄く開け、右手の人差指を襟にかけているところは、とても可愛《かわい》くみえました。そっと、その顔をなでてやってみるうちに、悲しくなって、私はいっしょけんめいに泣きはじめました。Kさんがこの泣声を聞いてくれればいいなあと思いました。

そうして泣いているうちに、ふと、誰かに見られているような気がして、見れば四、五人の死人たちが、私のうしろをまわり、開いている窓からぞろぞろ外に出ていこうとしているのでした。学生服を着た青年と、顎《あご》がなくなってその代りに牛肉をはりつけたような兵隊と、血だらけのシャツをきた膝《ひざ》から下のない小父《おじ》さんと、骸骨《がいこつ》のようにひからびた浮浪者と、もう一人は、やはり兵隊だろうと思うのですが、手も足もばらばらになったのを、いいかげんにくっつけ合せたような、おそろしい形をした男でした。あの人たちは、いつもこうして、私のすることを見ていたのかしら？「待ってちょうだい！」と思わず呼びとめると、死人たちはかえっておたがいを押しのけるようにしながら、後も見ずに逃げていってしまいました。

死んでなにもかも終ったわけではないのだ、と思うと、恐くなりました。すると、遠くで、私から送ってくるはずのお金を待っている親や妹たちの顔が見えるような気がしました。おなかをすかして、寒くもないのにふるえながら、青い顔をして、じっと私をにらんでいるのです。

死んだ罰をうけるのよ、でも、私がわるいのじゃないものね、そういって、私はまた死んだ私の顔をなでてやりました。すると死体がすこし笑ったような気がしました。

私は窓の目かくしにはいあがって外をのぞいてみました。角のところでKさんが待っていてくれるような気がしたのです。もちろんKさんはいませんでした。そのかわり自動車と自転車が、飛ぶような早さで走っているのが見えました。早いのは乗物だけではなく、人間までがふだんの自動車くらいの早さで歩いているのでした。立止って話しあっている人がいました。ぴんぴんはねるような身振で、口はたぎっているヤカンの蓋《ふた》のようにふるえてみえました。とてもだめだ、ふだんでさえあんなだったのに、私はもうこの部屋から出られない。すっかりおそろしくなって死体のそばに逃げ返ると、私は小さな船にのってたった一人で沖に流されたような気がしてきました。

　東京には、数えきれないくらいの人がいて、数えきれないくらいの町があるのに、どの人もどの町も、見分けがつかないほどよく似ていて、いくら歩いても、同じところにじっとしているような気がして、ちょうど海のような町なのです。どこにいても、いつでも、みんなが道に迷っているのです。

　だから、十日前、私がはじめて東京にやってきた日、地図に書いてあるとおりに歩いたのに、私は三度も道をまちがえてしまいました。いつまでたっても橋がないと思ったら、橋の下に川がなくて家がたっていたり、電車にのったらその電車が後ろむきに走りだしたり、同じ家に番地が二つもついていたりしたのです。それで、私は途中の景色を、すっかり忘れてしまったくらいです。

でも、このお店にきてからのことは、忘れろといわれても、忘れることはできません。お店の前に立ったとき、本当の東京はこのお店の中にあるのだと信じました。誰も住んでいないみたいに、しんと静かで、近所の家はどれも色ガラスでつくったようにピカピカ光っていて、私のお店も、門のまわりが銀色に光り、青ペンキのドアがついていて、まけずにきれいな家なのでした。胸がどきどきして、すこし涙がでそうになったほどでした。

お店の主人は、眼の下に肉の袋がある、青い顔をした背の高い人で、古いラジオみたいに、しゃべってないときでも、すこしずつ声をだしている人でした。紹介状をだすと、「ああ、分っているよ」とやさしい声でいって、なにも書いていない白い紙に、ハンコをおせといいました。もっていませんと答えると、「そうだろうと思ってちゃんと用意しておいた」といって、私の名前をほったハンコをもってきてくれました。

「まあこれで、おまえはうちの子とおんなじだ。おまえは赤くて丸い顔をしているから、ウメ子という名にしよう……ところで、ウメ子、おまえはなにができるんだい？」と主人がききました。

「ローラー・スケートがすべれます」と私はかしこまって答えました。

「へえ……あそこの工場からきた子は、みんなローラー・スケートの選手だな」

「はい」

「しかしうちでは、ローラー・スケートなんかに用はないんだよ。で、ほかに、なにができるんだい？」

「掃除です」

「掃除？……ふん、そりゃ結構だね。掃除のうまい子は、正直だ。とくに春先はザラザラした風がふいて、家中ほこりだらけになるからな。せいぜい、みがきあげてもらいましょうか」

「はい」

「ところが、先にきたおまえの友だちは、どういうわけかみんな掃除がきらいでな、それより、きれいな着物が着たいし、家に金も送りたいといって、みんなお客をとるようになってしまった。しかし私はべつに腹はたてなかったよ。自由意志だからな。自由意志は尊重しなければならんし、事情を聞いてみればむりもない。ところでおまえは、お客をとるという意味が分っているのかね？」

「…………」私は目をふせて息をとめました。

「分らんのかね？」

「…………」私は息をとめたまま目を閉じました。

「ふん、分ってるんだね。よろしい。分っていても、おまえは女中づとめを希望する。そしてお客はとりたくないというわけだ」

「はい」

「よろしい、よろしい、大いに結構、おまえは掃除がすきなんだから、それがいい。人間は誰でも、好きなことをしてたのしむのが、いちばんいい。きっとおまえの家は、金持なんだろうな」

「いえ、貧乏なんです。とっても貧乏です」

「なんだ、貧乏だって？……それでおまえを遊ばせておこうというのか？　分らん、私には分らん、きっとよほど娘思いの親御さんなんだろう。娘のたのしみのために、自分はギセイになろうっていうんだ。貧乏でも、きっと、食うには困っていないんだね」

「いえ、困っています」

「困ってるだと？……ますます分らん。困ってるなら、送金してほしいと思うはずだ。それとも、食うのを我慢しても、娘に趣味の掃除をさせておきたいというのかな？　女中じゃとても、送金なんかできやしないからね。おまえの返事がくるとすぐ、私は一万円送ってやったろう。おまえの給金は約束どおり五千円から食費二千二百円、間代八百円、フトン使用料三百円、それにそんな着物じゃとても店に出てもらうわけにいかないから、衣裳《いしょう》千円、しめて四千三百円也《なり》……さて、これを五千円から差引いたら残りはいくらになるかね？　おやおや、たった七百円。もしそれをおまえが小使につかっちゃったとしたら、あとはナシ。それじゃいったい私が貸した一万円はどうなるというんだね。いつまでたっても返してもらえないのかね。みすみす損と知りながら……いいやそれは言うまい、おれも男だ、一万円ぽっち、たのまれたことはイヤとは言えない……というようなわけだから、おまえ、私にはさっぱりわけが分らんのだよ。しかし、お客をとる子は、みんな家に二千円も三千円も送っている。けどあの子たちは、掃除よりも遊ぶほうが好きなほうでね、映画をみたり、パチンコしたり、お化粧道具を買ったり、それに嫁入仕度の貯金もしなけりゃならんから、つい使いこんでしまうんだ。それでも私は言うんだよ、さあ、三千円貸してやる、今すぐ親御さんに送りなさい、親の恩を忘れるような人間はきらいだよ、そして来月はかせぎなさい、かせぐに追いつく貧乏なし、なまけて送金をおこたるようじゃ、先が思いやられるってね。ところが来月、また使いこんでしまう。でも、やっぱり私はこりずに貸してやるんだ。親に送金するつもりでお客をとったというのに、送金できないんじゃ、私も義理がわるいからねえ。むつかしいよ、むつかしいんだよ、人生は……」

私は、足がふるえだして、立っていることができなくなりました。「可哀《かわい》そうに、旅の疲れがでたんだよ」そういって主人は私の腕をつかみ、ぶら下げるようにして炊事場の裏の窓のない二畳の間につれていきました。

その晩は逃げて帰ろうかと思いました。でも町は海のようで、私は迷ってしまうにちがいないのでした。主人が恐かったのではありません。自由意志が恐かったのです。向う岸にゆきつけず、私はおぼれてしまうにちがいないのでした。泳いでも、泳いでも、行きついたと思っても、それは岸ではなくまたべつの海かもしれないのでした。町も海、駅のプラットホームも海、汽車も海、工場も海、そしてきっと私の家も海……

「それは困った」と父は言うでしょう。

「泣きッ面《つら》に蜂《はち》だ」と母は言うでしょう。

父は肺病で、ゴボゴボ咳《せ》きこみながら、人夫仕事にでているのですが、四日に一度しか仕事がないのです。母は上の妹をつれて、近くの製縄工場に手つだいに行っているのです。あとは小さな妹と弟が三人、年中おなかをすかして、青ぶくれになって、ケンカばかりしています。父の収入が月やく二千三百円。母と妹で四千円。あわせて六千三百円。それに以前工場から送っていた二千円を加えて、八千三百円が、一家七人のくらしだったのです。そこに私が、会社の操短で指名帰休になって帰ってくると、六千三百円で八人が暮さなければならなくなりました。これでは、主食の配給もとれないのです。

まず学校にいっていた二人の弟を休ませました。つぎに、家の中のものを次々売りましたが、すぐになんにもなくなって、最後にフスマを売りはらうと、家の中はほんとうに入歯をとったおばあさんの口のように見はらしがよくなってしまいました。

私は、その気なら東京にいい口を世話してやろうといった帰りぎわの班長の言葉を思い出して、手紙を出してみました。一週間ほどして班長から紹介状と一万円のカワセがとどきました。母さんは私をおがみ、それからカワセを紙でつくった仏壇にまつって、一時間もそのまえに坐《すわ》りこんでいました。父さんがそのカワセにさわろうとすると、ピシャッとその手をうって、にらみつけました。それから馳《か》け出していって、隣近所を自慢して歩きました。けれど、同じときに出したKさんの手紙には返事がないので、私はがっかりしていました。

「なんでしんぼうできんかった！」と父は言うでしょう。

「親を見殺しにする気かい！」と母は言うでしょう。

そして妹たちは、おなかのすいた疲れた目で、私を食べたいみたいに見つめることでしょう。

海は町から私の部屋にまで入りこんできました。私は、自由意志で、おぼれてしまいました。

「私がわるかったんじゃないものね」といいながら、私は私の死体の顔をなでつづけました。


「ウメ子さん、ウメ子さん……」

とヨシ子さんが早口で私を呼びました。しかし私には答えることができません。

「ウメ子さん、居ないの？ 入っちゃうよ」そう言ってヨシ子はドアを一寸《ちよつと》開けたようでしたが、そのままパッと消えてしまったような早さで、下にとびおりていきました。入れちがいに、主人が上ってきました。主人は何も言いませんでしたが、あたりかまわず唾《つば》をはきちらして、ひどく腹を立てている様子でした。それから医者が来て、巡査がきて、簡易葬儀屋がきました。主人は腹をたてているくせに、誰彼の区別なくしきりに愛想をふりまいて、来る人来る人にビールを飲ませました。しかし、一人になると、恐ろしい顔になって、誰彼の区別なく悪口を言いちらし、うんうん熱がでたようにうなりつづけました。「くそったれ、田舎娘が、てめえらになめられてたまるかい。まってろ、いまに、とことんまで真相を洗ってやるからな……」

それでも主人は私の父あてに、大きな字で短い手紙を書いて、中に五万円のカワセを入れました。「バカヤロウ！」とその封筒に力いっぱい平手打をくわせると、自分で郵便局に持っていきました。私は、その手紙の後をついていけば家に帰れると思ったので、郵便局までついていき、そこで主人と別れました。

ずっと、手紙といっしょに旅行して、三日目に家につきました。

家は、まえよりもいっそう小さく、うすっぺらになったように見えました。父さんはあぶれて昼間から寝たっきりでした。うすい紙のようなフトンがひらたくみえるほどやせ、顔は小さく皺《しわ》だらけになって、息をしていなければ生きているとは思えないほどでした。「父さん、もうすぐ会えるんだねえ」というと、父さんはホッと溜息《ためいき》をついて寝返りをうちました。

そこに書留がつきました。父さんは手紙を読まずに、まずカワセをみて、ぶるぶるふるえだしました。それから、酔っぱらったように家中歩きまわり、フアフアアアと笑いました。三十分くらい笑ってから、手紙を読みました。こんどはぶるぶるふるえたまま、床に倒れて、もう起上ろうとしませんでした。

七時ごろ母と妹が、つづいて弟たちがぼんやりした顔つきで帰ってきました。

母は先に手紙をみて、思わず悲鳴をあげましたが、カワセに気づくと、もっと大きな声をあげました。いそいでカワセを帯のあいだにはさみこみ、喉《のど》がさけそうな声で笑いながら、妹たちの頭をぴしゃりぴしゃり叩《たた》いてまわりました。

「五万円！……うん、コッペパンにしたらいくつかね？……さあ芳坊、かんじょうしろ……いくつだ、いくつだ……五千コ……毎日みんなが一つずつ食べたら……おい君江、割算……え？　七一四……七一四日！　二年！　二コずつ食べて一年……！」

「おれの薬代はどうするね？」と父さんが弱々しく言いました。母さんは、笑うのをやめて、きっとした表情で、父さんをにらみました。父さんは困ったように、咳きこみながら言いました。

「可哀そうによ、あの子も、死んじまってさ……よほど、おまえ、いんごうなおやじだったんだろうなア……五万円ぽっち……」

「なんだと、父さんや、カイショウもないのに、大きなことを言って……じゃ、五万円、つくってきな。さあ、つくってきな……口で言うのはやすいよ、可哀そうも、おくやみも……あっちのダンナの方が情にあついさ。五万円てば、大したもんだ、生みの親より、よっぽど情にあついじゃないのさ、え？　くやしけりゃ、五万円もっとい

で、もってくるまでどこか行ってしまいよ、さんざんこれまで人に苦労をなめさして
おいてさア……」
母さんは、帯のあいだからカワセをとりだして、弱い電球の光にあてながらひらひ
らとふってみせました。それから、いそいでまたしまいこむと、外にとんで行きまし
た。
その夜、母さんと妹との間で、妹が東京のお店をたよって、お礼かたがた、できれ
ば働かしてもらいに行くことに話がきまりました。父さんは黙ってキセルにこよりを
とおしておりました。
一刻も早いほうがいいというので、翌朝さっそく出掛けることになりました。久し
ぶりのごちそうがならびました。身の入ったミソ汁もあり、トウフが半丁ずつついて、
おまけにナスのミソ漬がふんだんに食べられました。フロシキ包を一つ、さすがに一
寸不安げに、まだ小さいんですもの、そりゃ、泣くのをガマンしているのです。
「行っちゃダメ！」そう言って私は妹の前に両手をひろげて立ちました。けれど、妹
は、私の中を空気のように通りぬけて、行ってしまいました。

私は、私たちがおぼれはじめたのが、どこからだったかを思い出したいと思いました。思い出してみると、それはたしかに工場からでした。私は工場に行ってみたくなりました。

工場についたのは夜でした。工場は、丘のふもとに、背中をまるめてぐっすり眠っているようでした。ハンコをもらわないでも、通用門をとおることができました。寮の、私の部屋に行くと、みんなぐっすり寝ていました。ぎっしり、すき間がないほどくっつきあって、ねていました。私も、その上に重なるようにして、横になりました。

私の耳もとにささやくものがありました。それは肺病で死んだ田中さんでした。「ヨッちゃんも、みっちゃんも、カナエさんも、ナッちゃんも、みんないるのよ」と田中さんは言いました。私はほっとしました。

私たちの部屋には、学校の運動会につかうほどもある大きな拡声器が、天井から下にむかってぶら下っていました。朝の四時きっかりにそれが鳴りはじめるのです。それは、ほかでは聞いたことがないような恐ろしい音楽で、どんなに疲れていても、どんなに眠くても、たいてい目がさめてしまいます。「動物園」という題で、労務課長さんが、東京の博覧会みやげに買って帰ったものだということでした。

やっと朝がきました。

「動物園」がなりだしました。

私は胸がどきどきしました。われ先にと外に飛出しました。みんなといっしょに、まっ暗な廊下をつるつるすべりながら、われ先にと外に飛出しました。みんなが、手さぐりでローラー・スケートをつけています。コンクリートの道を走ります。作業場の前に整列して、ついた順にならんで、前から十人、朝の汁のお代り券をもらいます。でも私は、一度ももらったことがなかったっけ。

スピンドルの廻転数は八〇〇〇回でした。私は糸をつなぐまねをしながら一〇台の精紡機のあいだをくるくるまわりました。いつのまにか、私もローラー・スケートをはいている気持になり、くるくるまわりは早いのですが、腰が痛くなってきました。そういえば、まわりすぎて、機械にぶっつかって、指をケガした人もありましたっけ。

八時になると、炊事係がはこんでくる弁当を、まわし交替で順ぐりに食べるのです。食べているあいだ、相変らず班長さんが、ストップ・ウオッチではかっていました。班長さんは、どんなときにでもストップ・ウオッチをもっていて、私たちがおしっこする時間まではかるので、ウオッチという仇名《あだな》がついていました。おしっこの時間をはかられるのが一番いやでした。入ってから出るまで、二十八秒以上かかると、おまえの穴は小さいな、とみんなのまえで言われるので、それがイヤで、ひどく急がなければなりませんでした。

二時に作業が終りました。みんな汗ぐっしょりです。真赤な顔して、ふうふう言いながら行列して帰り、寮の入口でローラー・スケートを脱ぎ、廊下に一歩あがると、同時にスピーカーが鳴りはじめます。

「廊下をみがけよ！　心の鏡！」

そこで、膝《ひざ》をつかずに腰をかがめ、ワックスのついたボロをにぎって、ごしごしすりながら食堂に入ります。ばかばかしいので、私は立って見ていました。入口で、ごはんの入った大きなアルミ皿と、菜っ葉のゴマあえにスルメのつくだにをのっけた小さなアルミ皿をもらい、席につきました。私たち死人も、仲間入りして、あちこちにまぎれこみました。席につくと、ウオッチが正面の仏壇の扉を開け、ゴーンと鐘をならし、「働きながら貯金ができ、働きながら勉強できてありがとうございます」と大声で言い、それにつづいて、みんなも同じことを声をそろえて言いました。しかしまだ、すぐに食事でありません。ウオッチが黒板にコン立を書かなければならないのです。

本日の献立

米七勺《しゃく》　麦六勺
ほうれんそうのごまよごし五〇グラム、スルメのつくだに八グラム
イワシ一匹八〇グラム
　計
八二〇カロリー
蛋白質《たんぱくしつ》五〇グラム
　以上は他工場平均と比較して二二〇％の栄養価……
　ウオッチが振向いて言いました。「しかし、みなさん、コン立はこうなっておりますが、みなさんの皿の中にはイワシは入っておらない。いや、みなさんには、入っておらないように見える。しかし本当は入っておる……そのわけは、今日、会社の大事なお客さんが見えるのです。みなさんは、そのお客さんに、みなさんのイワシを代りに食べていただくことになったのです。そのお客さんが食べることは、みなさんが食べることと同じことなのです。だから、イワシは入っておる。分りましたね……では、お父さん、お母さん、ありがとうございます！」
「お父さん、お母さんありがとうございまーす！」
　ウオッチがストップ・ウオッチを切りました。食べ終ったものから、「ごちそうさ

まア」ととなえました。一番おそいものでも二分半で食べおわりました。

食べるまねをしながら私は思っていました。お客、お客、またお客か……八〇人分のイワシを食べるなんて、どんなお客なんだろう？……一匹、二分かかっても、一五〇分もかかるのだ。漁師だって一度に八〇匹もイワシを食べたものはないだろう。きっとすごく肥《ふと》った人なんだな……

アルミ皿を返し、廊下にならぶと、スピーカーが「授業を開始、楽は苦の種、みがけ人格、論より証拠」と歌うように言いました。そしてすぐに学校がはじまりました。なにもかも、ぜんぶ同じことです。学校といっても、その時間になると、寮がそのまま学校にかわるのです。一時間目は家庭科で、みんな自分の洗濯をしました。スピーカーが言いました。「洗えや、洗え、心の垢《あか》も……とくに会社からおあずかりしている作業帽はていねいに洗いましょう」

二時間目は前の半分がお割烹《かっぽう》で、食器を洗い、夕食のための菜っ葉切りをしました。あとの半分が裁縫で、ふとんのしゅうぜんです。

三時間目は修養の時間で、部屋と、便所と、風呂場《ふろば》の掃除をしました。そのあいだ、スピーカーが、いろんな教訓を話してくれました。

「しんぼ第一……朱にまじわれば赤くなる……長上をうやまえ……出世の早途《はやみち》……一

にも正直、二にも正直……笑うかどには福きたる……」

四時間目は、体操で、音楽に合わせてローラー・スケートの練習をしました。

夕食がすむと、自由時間。もし私が生きていたら、Kさんに会いにいく時間です。

Kさんは、キネマ館の映写技師で、私のいちばん好きな男の人だったのです。髪を短くしていて、顔が長くて、太い眼鏡をかけていて、めったに笑わない、男らしい人でした。私にはただで映画を見せてくれ、サラリーマンはみんなのあこがれでしたから、みんな私をうらやましがっていたのでした。

鐘がなって、スピーカーがしゃべりだしました。「みなさん、自由時間です。故郷の両親に手紙を書きなさい。貯金がいくらたまったか計算しなさい。本や雑誌を読んで教養を高めなさい。そしてなるべく外出はしなさんな。外出する人は、ムダ使いしないように。外部のものとは口をきかないように。不良の誘惑がみなさんをねらっています……」

あの日、Kさんを迎えにいこうとして私がウオッチからカードをもらい、守衛さんに身体検査をうけていたとき、「……映画をみて遅刻した人は罰金です。八時に一〇分おくれた人は二〇円、二〇分おくれた人は三〇円、三〇分おくれた人は五〇円……」と言っていたスピーカーがとつぜん調子をかえて、「Mさん、Mさん、工場長がお呼びです」と私を呼びとめてしまったのでした。ああ、とうとう私の番がきたのです。この一と月ばかり、毎日一人ずつこうして呼出されていたのです。そして、そのほとんどが指名帰休になって、室にも帰らずにそのまま姿を消してしまっていたのでした。

がっかりして引返すと、寮の入口で待っていたウオッチが「さあ急げ、善は急げ」と言いながら私をぐいぐい押して、事務所の中におしこんでしまいました。工場長はお客さんと何か話しあっていました。お客さんは、立派な服を着た、若いやせた人で、大きな帳面をひらいて読んでいるところでした。工場長はその前に立って、にこにこ笑っていました。工場長は私を見ると、やはり笑いながら顎《あご》ですみの椅子《いす》をさし、お客さんに向って言いました。「さあ、車もまいりましたし、社長もお待ちかねのようですから」

工場長はお客さんの肩に手をかけるようにしながら、いっしょに出ていったきり、なかなか帰ってきませんでした。私とウオッチは半時間も待ちました。そのあいだにウオッチが言いました。「いまのお客さんは、銀行の人だよ。銀行は大したもんだ。だいいち身なりからしてちがうもんね。東京の人と変らないね。Mさんは東京に行ったことあるかい？」

「ありません……」

「ない？……ああ、そうだろう。東京の水で顔を洗ってきたものは、一目《ひとめ》みたらちがいが分る。ハハ……Mさん、東京に行きたいかい？」

「いきたいです。でも、不良がこわいから……」

「不良？……うん、不良には気をつけるんだね。けど、Mさんのようにしっかりしてりゃ、大丈夫だ。私が保証するよ。絶対さ……」

そういっているところに工場長が帰ってきました。工場長は私の顔を見るなり恐《こわ》い顔をして言いました。

「大変だ、大変だ、生産過剰で製品の値段は下る一方だ。銀行は勝手なことばかり言って金をかさない、これじゃ会社は破産しちゃう」それから、タバコを一口すっては唾《つば》をはき、もう一口すっては唾をはき、しばらく私の顔を見つめてから言いました。

「ふん、おまえは、あんなに言っておるのに口紅をつけたな」

「つけません」

「うそつけ、じゃ……」と一枚の紙をさしだして、「これで口をふいてみろ」

私はもらった紙で口をこすって、工場長に返しました。工場長はその紙を電燈《でんとう》にすかして、しらべました。口紅はついていませんでした。

「それじゃ」と工場長はすこし普通の声になって言いました。

「なぜ貯金をおろしたか、理由を言いなさい」

「父さんが、肺病になったのです」

「ふん、では、おまえは最近高い靴を買ったようだが、その金はどこから出た？」

「あれは安い靴です。もらいました」

「もらった？　誰から？　男だね……ふん、そうか、それはいいことかな、お父さんの許可をもらっているのかな……ベッ、ちがう？……なんていうことだ。お父さんが病気だというのに、もしものことがあったら、私は、なんて親御さんにお詫《わ》びしたらいいんだ。困った子だ、おまえは、もう私はもて余すよ、ベッ、ベッ、それにおまえは自治会で、おしゃべりしすぎるそうだな？」

「ごめんなさい、工場長さん」

「いや、なに、そう言ってもらえば、もう何も言うことはない。ハハ、おまえが気立てのやさしい子だということは私が一番よく知ってるからな。今日来てもらったのも、なにも叱《しか》ろうというわけじゃないんだ。おまえは、気立てがやさしいから、ベッ、私のたのみを分ってくれて、味方になってくれるだろうと思ってな……」

……こうして私は指名帰休を承知する書類に名前を書かされました。外に出ると、ウオッチが、にやにや笑いながら言うのです。「よかった、よかった、これでもう誰にも気兼ねなく、いい就職口をさがせるじゃないか。東京なんかでさ。女中の口なんかで、行儀見習して、家には沢山送って、嫁入仕度をととのえて、ハッハ、後で考えりゃ工場づとめなんて馬鹿《ばか》らしくなっちゃうわけさ。今までは、工場長の恩義もあるしさね、言いだしにくかったが、もう大っぴらだね。ま、あせらずに家に帰って、おっかさんの顔をみて、そのうちその気になったら手紙でもおくれ。いつでも世話はしてやるよ。ハッハ、私は世話ずきだからねえ。手がけた寮生が、立派になるのを見るのは、たのしみなもんだからねえ……」バカ！　バカ！　おまえが私をおぼらしてしまったんじゃないの！

私はみんなといっしょにキネマ館に行ってみました。Kさんはもう居ませんでした、しかし私は死人なので、Kさんがどこに行ったか、聞くことはできませんでした。お客さんにまじって、映画をみました。生きている人のほかに、その二倍もの死人で超満員でした。これがみんな生きかえったら、キネマ館もずいぶんもうかるんだろうになアと思いました。

寮に帰ると、もう四年もつとめている花江さんが、声をあげて泣いていました。田中さんが言いました。「相変らず、指名帰休よ、月末まで、ずっとつづける気なんだって」

……ああ、もし、私たちが生きかえったら！　そう思ったとき、私は急に走りまわりたくなりました。私が走りだすと、ヨッちゃんも、みっちゃんも、カナエちゃんも、ナッちゃんも、まだ私の知らない死んだ女工さんたちも、みんな私の後をついて走りだしました。

死人はぜんぶで二十二人でした。私たちは工場の中を、はねまわりました。うとうとしているこわい守衛のまわりに、手を組んで輪をつくり、歌をうたいながらぐるぐるまわってやりました。社長室では、社長が机の上にわすれていった帽子を順ぐりにとびこえてふざけました。そうして私たちは朝まで遊びまわったのでした。……もしかすると、花江さんは、夢の中で私たちの声を聞いたんじゃないかしら？

（「文学界」昭和二十九年五月号）

盲腸

ある新学説の試験台として、Kが自分の盲腸のあとに羊の盲腸を移植する手術をうけてから、ちょうど三カ月目のことだ。まる一日かけた精密な検査のあと、いよいよ藁《わら》だけの食事をとることになった。藁といっても、むろん生のままではなく、高圧蒸気で処理したものを同じ分量の生の藁にまぜ、やく十日間醗酵《はっこう》させたものに、二、三のヴィタミンを添加した特別の藁である。いくぶん色が黒っぽく、ねばり気があって、十センチほどの長さにきちんと切りそろえてあるので、ちょうどつくしの干物みたいな感じだった。しかし、注意してみれば藁であることがすぐ分ったし、その独特のにおいはまぎれもない腐った藁のにおいである。

「どうです。春のにおいがするじゃありませんか」と白衣をきた助手の一人が、廻転椅子《いす》の腕にもたれて満足気に膝《ひざ》をふるわせていた教授に目くばせすると、教授もうれしそうに相槌《あいづち》をうって、しばらくは笑いがとまらなかった。

Kもうなずいて静かに笑った。負けおしみではない、この瞬間のために彼はながい、そして苦しい闘いを準備してきたのだった。「そんなにおかしいですか?」と笑顔をくずさず、できるだけおだやかに言ったつもりだったのに、教授と助手たちはぎょっとして顔をこわばらせた。

「おかしいだなんて、そんな……」と教授が鼻をつまんで力いっぱいひっぱりながら、空気で薄められたような声で言った。「ただうれしかったのさ……」

気まずい間があって、Kが手もちぶさたにその加工した藁をつまんでちぎってみると、中から白い泡のようなセンイでつつまれた昆虫の卵がずるずるつながって出てきた。あわてた教授が、ひったくるように受取って手のひらにのせ、つついたりころがしたりしていたが、「死んでいるね」とほっとしたように顔を上げて助手の一人を振向き、「二郎君、なんだろう？」

二郎と呼ばれた助手は——四人の助手のうち三人まで同じササキ姓なので、姓をよばずに名前でよぶ習慣があった——ろくに見ようともせず、「みどりこもんうえたて虫です」と長いなまえを一口で言い、なにか腹を立ててでもいるような仕種《しぐさ》でその藁を屑籠《くずかご》の中にほうりこんだ。

気まずいふんいきがいっそうあらわになってきた。その場の空気を和らげようとしてかKが、

「原理さえ正しければ、私だって、よろこんでいいような気持がしますがね」とまるで他人事《ひとごと》のように事務的な調子で言ってみたのだが、教授はかえってきっとして顎《あご》を

ひき、意外だというふうにKをみつめて、

「すると君は、いまごろになってまだ原理を疑ってでもいるというのかい？」

「疑うことは、むろんできます。だからこそ、認めることに意義もでてくるんじゃないですか」

「ふん」と教授は鼻をならして、「原理はたしかめてみるもので、疑ってみるものじゃない。エレックス先生も、原理は出発点であるがゆえに帰結点なのだと言っている」

誰も言い返すものはいなかった。Kも黙ってうなずいた。しかし、そのエレックス先生というのが何者なのか、教授をのぞいて知っているものは一人もいなかった。こういうやりとりのあと、きまってもちだされる教訓だったが、教授は一度も説明しようとしたことがなかったし、たずねようとするものもいなかった。そのことが、たぶん、この教訓に論争を中止させる一種の力をあたえていたのだろう。教授もその効果には、気づいているようだ。

「さあ、今日はもう、これまでにしよう」ほこりをはらいでもするように、両手をうち合せて教授が立上ると、助手の二郎が、藁のつつみをさしだして、食べ方の注意をもう一度くりかえした。

「今日の分は、まず、四百グラムです。五時に最初の百グラムを食べてください。七時半に次の百グラム、十時に五十グラム、明朝八時に残りの百五十グラム。それぞれ束ねてしるしをつけてあります……それから、水分はなるべく量を少なく、いくどにも分けてね……」――「よく、噛《か》むんだよ」と教授が口をはさむと、二郎がすぐまた言葉をつづけ、「もし嘔気《はきけ》がきたら、例の薬をのんでしばらく横になっていてください。すぐおさまるはずですから……」

Kがうなずいてつつみを受取り、ドアの方へ歩きはじめると、進という助手があわてて呼びとめ、「大小便のサンプルは毎回きちんととってくださいね。容器は間にあっていますか？」すぐその後を教授の声が追いかけて、「体温表も忘れないでね」

Kはおだやかな、しかし幾分青ざめた顔をふりむけて、軽くうなずいた。まっすぐにのばした体の線に、自分をこえることができたと信じているものの、ヒロイックな誇りが読みとれる。ジュラルミンの衝立《ついたて》をまわって、爪先《つまさき》から未来に向ってすべりこんでいくように、ドアを開けて廊下に出た。

廊下は暗かった。採光のいい南向の研究室から出ると、ここはまるで動物の腹の中のような暗さだ。その暗闇《くらやみ》の中から、もっと黒いものが起上って、まっすぐ彼の方につきすすんできた。そいつはいきなり彼の腕をつかむと、用意してあったらしい名刺を彼の手の中におしこみ、たたみかけるように耳もとに囁《ささや》いた。「Kさんですね？　私は月刊心理の記者ですが、今日の心境をお話しねがえませんでしょうか？　あなたのお話は英語にも訳されて、世界中の人々に読まれることになるのです」

とっさにKはつかまえられた腕をふりほどき、研究室に逃げもどって、たたきつけるようにドアをしめた。教授の顎の下に名刺をつきつけ、ドアの方を指さしながら、ふるえ声で叫んだ。

「なんだって、あんなやつを入れたんです！」

教授や助手たちの驚愕《きょうがく》した表情には、まだところどころ笑いにちかい筋肉のしこりが残っており、Kが出ていった直後、どんなふんいきであったのか、想像するのはそう困難なことではなかった。

しかしさすがに教授はすぐ平静にもどり、「あんなやつって、君、月刊心理の記者じゃないか」とふくみ笑いさえうかべて、「君はいま世界の注目のまとなんだよ。それに君だって、われわれの実験が、かくれてこそこそやっているようなものじゃなく、堂々と人類の未来を予言しようとするものであることを、承知のうえで手術をうけたはずじゃないか。契約書にだって、来月に予定されている学会には、君自身演壇に立って質疑応答することを明記してある。なにをそんなに腹をたてているのか、さっぱり分らんね」

「軽薄にあつかわれたくないと思うのです」Kは大声を出すまいと、ポケットの中から両の脇腹《わきばら》を固くしめつける。

「軽薄だって？……おどろいた」教授は爪先で調子をとりながら、すこしずつ横にずっていき、

「君は今日がどんなに記念すべき日であるのか、考えたことはないのかい？　人類の知能の結晶が、はじめて自分で働きはじめた日、千年後にも記録されて残る、輝かしい記念日かもしれないのだ。ふつうなら、酒でも飲んで、どんちゃんさわぎをするところだろう。しかし私たちは科学者だから、仕事の成果自身で、これまでの苦しみもつぐなわれると考えている。だからと言って月刊心理の誌面に今日の記憶をとどめておきたいというくらいの、ささやかなねがいまでを、軽薄とはいささか言いすぎじゃないだろうか」

Kはすこしも屈せず、「では、先生が、手配したわけなんですね？」

「いや、残念ながらそうではない、あの記者をここによこしたのは、誰かというより、むしろ原理的なものの意志だと考えたほうがいいのだ」

「ばかばかしい！」と、つい声を荒げて、「むろん、契約はまもるつもりです。ただ、

今はまだ時期じゃないということを分ってほしいのです。もうしばらくは、闘ってみなければならない。とにかく、あの記者には、帰ってもらいます」

「それほど大げさなことだろうか？」押され気味になったのを、さりげなくかわそうとして声の力をぬき、教授は机の縁を向う側にまわっていった。

Kは教授の動作をしっかりと眼で追いながら、バンドの下をつまみあげるような仕種をして、

「私はこの腹の中にうえられた羊の盲腸と、まだしっくりやれるところまではいっていないのです。分りますか、先生、思想のことを言っているんですよ。羊の盲腸をくっつけた私と、くっつける前の私と、いったいどっちが本当の私なんだ。こうしていま喋《しゃべ》っているあいだにも、どちらの自分が喋っているのか、気になりだすと、なにも言うのがいやになってしまいます。いやになれば、なったで、いったいどちらの自分がいやになったのかと……」ふと机に両手をつき、教授の方にぐっと上半身をのり出すようにしながら、「この二人の私は、学会のある日に、その壇上で、晴れて決闘する約束をかわしているんです。それまで二人は、ひとに逢《あ》わずに、そっとしていたいのです」

引出の中をいじるふりをしていた教授は、ぎくっとして思わず身構えるように、身

をひいた。

「ふん……どうやら君は、なにごとかたくらんでいるらしいな……」まげた指先をぎゅっと額のまん中におしあてて、あわてて同意を求めるように、助手たちを見まわしたが、助手たちはなぜか困惑のていで、それぞれ自分の手もとに眼をそらしてしまった。指をはなすと、そのあとに、しばらく白い斑が残っていた。

Kはゆっくり体をおこして、藁のつつみをもちかえながら、押さえるように短くいった。「たった一言《ひとこと》、言いたいことがあるだけですよ」

「……それこそ、月刊心理の記者につたえたほうが、ずっと反響も大きいと思うがね」

「さあ、もうおっしゃっても無駄です。すぐ帰るように言いつけてください」

教授は上唇と歯ぐきの間に舌の先をおしこみ、さぐるようにじっとKを見つめていたが、「ま、すきにするがいいさ」と、子供のわがままにサジをなげた物分りのいい大人のような軽い調子で、あるいは激しい怒りをつつみかくすのに都合のよい物分りのよさをよそおって、ササキ姓でないもう一人の助手に記者を帰すように命じ、しかしやはりこらえかねるのかすぐつづけて、進という助手に背をむけたまままきびしく言った。「君、いまのK君の言動を記録するのを忘れちゃ困るよ」

Kはもう何も言いたくなかった。廊下でしばらく言い争う声が聞え、やがて記者が帰ってしまうのを見とどけると、黙って外に出た。往来の人影をみてから、ほっとしたようにハンカチをだして顔の汗をふいた。この二、三分のあいだに、まるで激しい運動をしたあとのように、ぐったり眼の下にくまができてしまっていた。

気を静めるために、国電の駅まで歩いて行こうかと思い、時計をみると、四時二十分すぎである。藁をたべる五時までに帰らなければならないとすれば、バスで行ったほうがよさそうだ。歩道の、プラタナスの葉蔭《はかげ》に立って、歩いている人間や、走っている車をみているうちに、不思議と沈んだ、もの悲しい気分におそわれ、いけないと思ってもっと大きな人間の苦しみを考えようとする。あるいはまた、はじめて人間であることを自覚した人間の、不安と恐怖を思いうかべようとする。

ふと、下腹が鳴って、大きくうねりはじめた。これは手術によってつけ加わった、新しい彼の生理的特徴なのである。新しい大きな盲腸の中にたまった未消化物が、一定時間たつと腸内菌によって醱酵膨化して、ガスといっしょに押し出されてくる音なのだ。健康な状態ならば、三時間に一度だと、教授は計算した。目立たない雑沓《ざっとう》の中でよかったと思いながら、Kは時計をもう一度たしかめて、鳴動の時刻を手帳に書きこんだ。

書いているところを、後ろからのぞきこんで、「鳴動ですね」と声をかけるものがあった。ぎょっとして、とびのくように振向くと、ササキでない四人目の助手が、いつのまにかすぐ後ろに立っていた。彼だけは姓で、牧とよばれていた。

牧が現われたことが偶然でないことは、すぐ分った。ほそ長い女のような指を、べつの指先でいじりながら、伏せた眼から時折すばやい視線をちらとＫのほうに走らせて、いかにも口をきくきっかけを当てかねて困っているといった風である。Ｋはわざと知らん顔で、バスがやってくる方角をのぞき見ながら、いらいら足ぶみするようなふりを見せつけてやった。もっともほかに待っている客が一人しかいないところをみると、バスはいま行ったばかりで、次まではかなりの間があるのかもしれない。Ｋはどうも牧がきらいだったから、あと三分もすれば、本当にいらいらしてきそうだった。

「こんなこと言うのは、なんですけど……」牧はＫにすりよるようにして、「きゅうのＫさんの態度には、ぼく、すっかり打たれてしまいました。なにか、どうしてもお話したいという気持がして、後を追っかけてきたのです。ごめいわくでしょうか？」

「いくらであの記者と取引したんです？」Ｋはバスの来る方角を見つめながら、落着きはらった声で問い返す。

「Ｋさん」と牧は一歩ひいて、声をあらため、「ひどいことを言うんですねえ。ぼくがこんな気持でいるのに、あんまりじゃないですか。そんな、いわれのないことを……」

「私は、外に出て、あの記者が待伏せていないのを不思議に思いましたよ。しかし、君を見て、万事がはっきりした」

「いいです、分りました」牧は似合わぬ乾いた声で、きっとKを見つめ、しばらく思いをめぐらしているふうだったが、やがて何事か決心したらしく、ずっときびきびしたむき出しの調子になって、

「Kさんはごまかせない人だ。だからぼくも信用しているんだ。正直に言います、ぼくは月刊心理の記者と、五千円で契約しました。しかしKさん、ぼくがKさんと本心から話しあいたいという気持は、そんなことで少しも左右されたりするものじゃありません。むしろ、その気持が先行していたからこそ、月刊心理の申し出に便乗して、Kさんの後を追ってみようという気持にもなったのです。もしKさんがそうおっしゃるなら、ぼくは月刊心理が望んでいるようなテーマを話題から避けることもいといませんし、今夜あの記者と遇《あ》うことにしている約束をすっぽかすくらいのことは、するつもりです。ぼくはもっと重大なことを話し合いたいと思っているんですから」

「私自身以上に、まだなにか重大なことがありますか？」Kは冷淡に言いはなつ。

「政治です」と牧はせきこんで、

「ぼくは重大な岐路にたって、苦しんでいるんです」

「私以上に……？」

牧はわずかにためらった。「Kさんがぼくに対してそういう態度をとられる気持はよく分ります。あの研究室で、ぼくが他の助手たちより、一段低いあつかいをされているように見えるんでしょう。本当にそうなんです。でもそれは、助手としての地位ではなく、ぼくがササキという姓でないためなんです。馬鹿《ばか》々々しい、本当に馬鹿々々しいんです。二郎も、進も、敏夫も、教授までが、ぼくがササキでないというので、仲間はずれにしようとしてかかるんですから……」

「大変な悩みだ！」もう沢山というふうに手をふってKは牧からはなれた。遠くに、やっとバスが姿を現わした。

「待ってください」牧はKの前に立ちふさがるようにして、「Kさんは、機械破壊者という小説を読んだことがありますか？　アメリカだか、フランスだかの、職人が正義のために自分のつくった機械を破壊しなければならない苦しみを書いた小説です。あなたはぼくのつくった機械だ。ぼくにあなたを破壊する勇気があるだろうか？」

「君が私をつくったって？」

「そうですとも。助手としての地位から言えば、ぼくが一番上位といってもいいでしょう。あの研究室は、教授が原理とよぶものによって計画され、必要な各専門分野から、腕ききをえり出して助手団を構成し、教授がその指揮官として仕事をまとめていくような仕組になっているのです。教授が内科医、進が外科医、二郎が生理、敏夫が応用化学、そしてぼくが生化学の方をうけもっています。ところで、あなたを完成するための、最大の困難はどこにあったでしょう。それはちがった種である羊の盲腸をどうやって人間に移植しうるか、異種蛋白《たんぱく》反応の問題をどうやって……」

バスが到着した。Kは牧をおしのけようとしたが、牧はほとんどしがみつくようにして離そうとしない。「早くしてください」と車掌がくすくす笑いながら言った。窓からいっせいに乗客がこちらをのぞいていた。Kは顔をあからめ、ぷりぷりしながらも、乗ることをあきらめないわけにはいかなかった。

「すみません、もう一台だけ待って、話をきいてください」牧は鼻の頭に汗をうかべて、おびえたような目つきでKを見た。Kはこめかみの下をふるわせながら、黙ってタバコに火をつけた。ほっとしたように、牧が言葉をつづけて、「ぼくの仕事の協力がなかったら、あの手術も絶対に不可能だったんです。それどころか、今からでも、ぼくがある処置をくわえると、あなたはもう一度盲腸をとり出しでもしないかぎり三日とたたずに消耗死してしまうんです。いいえ、脅迫じゃありません。そのことで脅迫されているのは、ぼくのほうなんです。分りますか、Kさん、政治です。ぼくは最近になって、われわれの原理に疑いを持ちはじめたんです。これでも、ぼくの苦しみを、信じてもらえないのでしょうか？」

「すると、君は、スパイか……」

牧はあわててあたりを見まわし、声を低めた。「そんなふうには言わないで下さい。あなたは事情をまったく誤解しているんです。いいですか、来月の学会は飢餓問題に関する二つの大きな原理の決戦場になるのです。その勝敗の鍵《かぎ》をあなたが握っている。あなたはこの問題を真剣に考えたことがありますか？」

「二つの原理……」Kはおどろいて牧の顔を見返した。「いったい君はなにを言うつもりなんだ？」

「ぼくにもよく分らないんです。人間は自然をつくりかえてきた。しかし、偏見はいつもその邪魔立てをしようとした。いま、われわれの原理は、人間の内部の自然をつくりかえようとしている。この原理がぼくの心に苦しみをあたえるとすると、それはぼくの心に偏見があるからなのでしょうか？……分らない。ぼくはなんだか不正が行われているような気がしてならないんです」

「もう一つの原理は？」

「もう一つの原理は、革命です」

「君は腹をすかしたことがある？」

「ありますとも！」

「そんなら、もう、これ以上とやかく言うのはよして下さい。私はながいこと失業していた。しかし今は一つの原理の実験台として、月々一万五千円ももらっている。それに、私は、藁《わら》をたべてみたかった……」

「あなたは、本当に、平気なんですか？」

「猿の群の中で、はじめて人間になったものは、いったいどんな気持がしただろうか、私はよく、その最初の人間について考えたりする」

「馬鹿な。科学的に、最初の人間なんてありえません。人間が猿からそんな具合に進化するなんて、金輪際《こんりんざい》ありっこないのです」

「なければ、なくたって、かまわない……」ふいにKは、はっきりと憎しみの色をみせて言った。「君は、なんだって、そう私につきまとうんだ。もう、うんざりだよ。いったい、君をよろこばせるために、私が不幸にならなけりゃならん、いわれでもあるのかね？」

次のバスが姿をみせた。もうそこまで来てから、やっと気がついた。

「さあ、今度はもう邪魔しないで下さいよ」挑むようにKが牧を見すえると、牧はほとんど哀願するように、「誤解です、誤解です」と繰返していたが、さすがにもう引きとめようとはせず、片足バスにかけたKにむかってやっとの思いで追いかけるように言った。「いまのお話、月刊心理に話してもいいですか?」

「駄目だ！　なんにも話しやしないじゃないか！」振向いてKが怒鳴ると牧は弱々しくうなずいて、あきらめたような微笑をうかべていた。

「それじゃ、私たちの食事は、後にしようかしら」とKの妻が言った。

「いや、いっしょだ」とKはなにか思いつめた表情で、「なぜそんなことを考えたんだ。さあ、言ってごらん。なぜ、一緒が具合わるいと思ったんだ?」

妻は当惑して眼をふせた。「なんだか、つらくて……」

「和男も呼んどいで」

「だって……友達の家で、遊んでるのよ」

「いいから、呼んできなさい」

妻が前掛で手をふきながら、出ていくと、Kはがっかりしたように畳の上にころがった。天よりもひろい憂愁がおおいかぶさってきて、過去も未来も消し去ってくれるといい。間もなく妻と和男が帰ってきたが、妻の態度からもう何かを感じたのだろう、和男までがひっそりと、すこし縮まったように小さくなっている。なにか冗談の一つも言ってみようと思うのだが、まるで何も浮んでこない。変に固くなってハシをとろうともしない二人を眼の隅に意識しながら、藁のつつみを机の上で開き、百グラムと書いた束を皿にあけると、「もっと陽気にしなさい！」と思いがけない金切声が喉《のど》をついて出て、自分もおどろいたし、妻と和男もおどろいた。

「そうねえ」と妻が苦しげな笑いをつくって、和男の上にかがみこむように、「さ、早く食べなさいよ」とうながすのだが、和男は父の皿に目をすえたまま、なにか我を忘れたような具合である。

Kはゆっくり、やわらかそうな藁を二本、指でつまんで口にふくみ上眼づかいに見ると、妻と和男が同時にあわてて目をふせるのが見えた。二人とも、テーブルにかぶさるようにして、むやみに飯を口の中におしこみはじめる。Kは、二人をにらんだまま、わけの分らない憎しみにふるえながら、力いっぱい藁をかみしめた。

変な弾力だ。嚙《か》んでいるのかいないのか、はっきりしない。いくども嚙んでいるうちに、ふつうにものを嚙む速度では、とても嚙みきれないことが分った。屑肉《くずにく》のセンイよりもはるかにかたい。しかし、ゆっくり均等な速度でおしつけるように嚙むと、案外やわらかく、簡単にかみ切れた。根気よく、そういう食べ方に馴《な》れるよりほかはない。

味も妙だった。こんな味をうまく言いあらわせる言葉があるだろうか？　わずか酸《す》っぱく、甘苦く、それよりもこの異様な、唾液《だえき》をしぼり出すようなこの刺戟《しげき》は、もう味というより口の中を豚毛のブラッシでこすりまわされているようなものである。

においは、しかし、もっとひどかった。春のにおい？　そうかもしれない。その気になれば、このにおいで、気が狂うことだって出来そうだ。うそだと思ったら、堆肥《たいひ》の中に半時間も顔をつっこんでいてみるがいい。胃袋が、喉をふさごうとして、口の中まではい上ってくるので、飲込むのに少なくも三倍の力がいった。このにおいにだけは馴れる自信がない。脱臭剤の発見は、緊急の課題である。

いつの間にか、彼は藁との闘いに没入してしまっていた。歯をむきだし、考えられる限りの複雑さで顔をくしゃくしゃにして、全生命がもう口の周囲にこりかたまったみたいだ。おびえた声で妻が言った。

「どんな味？」

Kは口を休めて、ちょっと首をかしげた。しかしすぐまた嚙みつづける。

……見つめていた妻は、たまらなくなって、思わず大きくすすり上げた。

が、うまい具合にただの一回で、和男には気づかれずにすんだ。和男も、もう父親の口から目をはなすことができないでいたが、その半分はただの子供らしい好奇心にすぎなかったのだから。

妻と子供の食事はとっくに終ってしまっていたのに、Kはまだ一人で食べつづけていた。「もう、ふつうのご飯はたべられないのね」と妻が悲しげに言うと、Kは腹立たしげに妻をにらみ、「食べられないのじゃない、食べられるようになって、食べるのをやめたんだ」「おんなじことじゃないの。食べるのをやめて、食べられるようになったのよ」

またしばらくして妻が言った。「いっそのこと、親子してみんなで手術をうけたらどう？」「おれも一度は考えたよ」「いよいよとなったら、動物園にだって置いてくれるかもしれないわ」「最初の人間家族だな」「なんですって？」Kはもう一度くりかえした。しかし、こういう日常世界からとびはなれた観念を、藁でつかれた顎《あご》で明瞭《めいりょう》に発音することはもはや困難だった。いくどくりかえしても、妻には理解できなかった。そして実際、一時間以上かかって百グラムを食べおえたとき、顎のつけ根が腫《は》れ上ってしまい、ぬれ手拭《てぬぐい》をあてがって、観念どころか無意味な発音をすることさえ困難なありさまだった。こうして、このままいけば、しだいに彼は寡黙《かもく》になっていくことだろう。顎はただ、噛むためにだけ発達し、いつかは人相までが変ってしまうことだろう。

「ねえ、父ちゃん」とKの顎の手拭をとりかえている妻の肩ごしに、和男がのぞきこんで言った。「父ちゃんの、職業は、なんさ？」Kは答えなかった。妻も聞えないふりをきめこんだ。「ねえ、幼稚園で先生が聞くんだよう」Kは、胃の重さと闘いながら、追いつめられたような気持になって、出まかせに頭にうかんだことを口にした。

「……人間」しかしむろん言葉にはならなかった。妻にも和男にも、イェーンとしか聞えなかった。

ほっとしたのも束《つか》のま、間もなく七時半がきて、またもや百グラムとの格闘をはじめなければならない。十時のときには、噛んでいるあいだじゅう、妻が両側からぬれ手拭をあてていなければならなかった。もう和男が寝てしまっていたので、夫婦してかまわず泣きながら二時間もかかって最後の五十グラムを噛みつづけた。それも、おわりのほうは、顎の力だけでは足らず、手をつかって動かしてやらなければならなかった。さらにそれさえ疲れてくると、こんどは、机に頬杖《ほおづえ》をつき、頭をふりながらその反動で噛んだ。

不思議なもので、一週間目には、一番つらいと思われたにおいがほとんど気にならなくなった。十日目には、味にも馴れてきた。暑い日など、教授の処方でヌカと塩の量をふやすことがあって、そんな日には美味《うま》いとさえ感じることがあった。顎はかなりながいあいだつらかったが、それでも半月たったころにはただだるさだけを感じる程度までになった。

こうした変化につれて、彼の性格にも変化がみられた。はじめは狂暴なほどの昂奮《こうふん》状態におちいり、はたのものを不安がらせたが、やがて次第に無口になり、表情も少なく以前のような神経質さがなくなってむしろおどおどした鈍い性格になっていった。彼はもう新聞記者のインターヴィウさえ拒まなかった。飢餓学会を間近にひかえて、彼の名はもう子供たちの間にさえ知れわたっていた。彼が道を歩くと、子供たちはおろか、暇な大人までがぞろぞろついてまわった。なかにはなにを思ってか、犬のように口笛で呼んで、人参《にんじん》かなにかを投げあたえるものさえいた。それでもKはじっと冷たい眼を向けるだけで、べつにさからおうとはしなかった。Kが振向いて立ちどまったりすると、子供たちは悲鳴をあげて逃げ去った。妻と子は、とてもこれまでの家には暮せなくなり、名前を変えて、ずっと離れた町に引越していった。

Kはこうして、学会がはじまるまえに、すでにニュースの花形だった。二つの原理の闘いの勝敗は、誰の目にももうほとんど決定的だった。「新しい人」とか「未来の人」とかよばれて、彼の写真や訪問記が紙面をかざっただけでなく、Kをつくった原理の勝利によってもたらされるだろう未来の社会像を、かなり学問的に究明した本さえあらわれた。法律によって、羊の盲腸の移植は義務的なものになり、もし手術を受けたくないと思えば、相当額の盲腸税を支払わなければならないというようなことなどは、新聞の子供のページにさえ図解されてほとんど常識になっていた。K自身は、まるで犬あつかいをうけ、妻子が名前を変えなければならぬほど冷たいあしらいをうけていたのに、ニュースの中の彼がそんなに花々しいあつかいをされたということは、矛盾しているようだが、よくあることで珍しくはない。言いふるされたことだが、博愛主義の人間嫌いというやつだ。

新聞は、ニュースの効果を強めるために、世界飢餓の恐るべき姿を大々的にとりあつかった。世界の人口の九十パーセントは慢性的栄養失調状態にあり、それが繁殖力の増大の原因になり、さらに食糧難の原因になり、この悪循環は行きつくところが人類の破滅以外にないというようなことを書きたてたすぐその後で、Kをその飢えからの恒常的解放者としてまつりあげた。学会が近づくにつれて、この空気はほとんどお祭りさわぎに近いものになった。Kを主人公にした天然色劇映画までがつくられたりした。しかし、こうした騒ぎの中で、Kの体力は急速におとろえはじめていたのだ。明らかな栄養失調がはじまり、学会の十日ほどまえから、加速度的に悪化していた。三日まえに、ついに絶望的状態が宣言された。髪の毛をかきむしって口惜《くや》しがる教授の眼のまえで、Kの腹から大きな鉛色をした盲腸が引きずり出され、切り離された。そしてKはもとどおりの普通の人間にもどってしまった。もっとも、完全にもとどおりというわけにはいかなかっただろう。盲腸は、単に肉体の問題だけではなく、思想の問題でもあったのだから。

それでも、別れぎわに、教授はわざわざ門の外まで見送ってきて、「元気になって、もしまたわれわれの仕事を手つだってくれる気になったら、われわれとしてはよろこんで迎えたい。むろん君の自由で、すこしも強制する気なんかないのだが、私としても気心の知れたもの同士の方が安心だからね」と、妙にはにかんだような笑いをうかべながら、細い声で言った。そして、記念にと、藁の一キロつつみを古新聞にくるんでくれた。外では飢えが、本当の飢えが、再び彼を待ちうけている……。

（「文学界」昭和三十年四月号）

棒

むし暑い、ある六月の日曜日……

私は、人ごみに埋まった駅前のデパートの屋上で、二人の子供の守をしながら、雨あがりの、腫《は》れぼったくむくんだような街を見下ろしていた。

ちょうど人が立去ったばかりの、通風筒と階段のあいだの一人用の隙間《すきま》をみつけ、すばやく割込んで子供たちを順に抱きあげてやったりしているうちに、子供たちはすぐ飽きてしまって、こんどは自分が夢中になっていた。しかし、特別なことではなかったと思う。じっさい、手すりにへばりついているのは、子供より大人が多い。子供たちはたいていすぐ飽きてしまって、帰ろうとせがみだすのに、仕事を邪魔されでもしたように叱《しか》りつけて、うっとりとまた手すりの腕に顎《あご》をのっけるのは大人たちなのである。

むろん、少々、後ろめたいたのしみかもしれない。だからといって、ことさら、問題にするほどのことだろうか。私はただぼんやりしていただけである。すくなくも、後になって思い出す必要にせまられるようなことは、なにも考えていなかったはずだ。ただ、しめっぽい空気のせいか、私は妙にいらだたしく、子供たちに対して腹をたてていた。

　上の子供が、怒ったような声で、「父ちゃん」と叫んだ。私は思わず、その声から逃れるように、ぐっと上半身をのりだしていた。といっても、ほんの気分上のことで、危険なほどだったとは思えない。ところが、ふわりと体が宙に浮き、「父ちゃん」という叫び声を聞きながら、私は墜落しはじめた。

　落ちるときそうなったのか、そうなって落ちたのかは、はっきりしないが、気がつくと私は一本の棒になっていた。太からず、細からず、ちょうど手頃な、一メートルほどのまっすぐな棒切れだ。「父ちゃん」と二度目の叫び声がした。下の歩道の雑沓《ざっとう》がさっと動いて割目ができた。私はその割目めがけて、くるくるまわりながら、まっしぐらに落ちていき、乾いた鋭い音をたててはねかえり、並木に当って、歩道と車道のあいだの溝のくぼみにつきささった。

　人々は腹をたてて上をにらんだ。屋上の手すりに、血の気の失《う》せた私の子供たちの小さな顔が、行儀よくならんでいた。入口にがんばっていた守衛が、いたずら小僧どもを厳重に処罰することを約束して、駈上《かけあが》って行った。人々は興奮し、こぶしを振上げてイカクした。それで私自身は、誰からも気づかれずに、しばらくそこにつきさったままでいた。

やっと一人の学生が私に気づいた。その学生は三人連れで、連れの一人は同じ制服の学生、いま一人は彼らの先生らしかった。学生たちは、背丈から、顔つきから、帽子のかぶりかたまで、まるでふた児《ご》のように似かよっていた。先生は白い鼻ひげをたくわえ、度の強い眼鏡をかけた、いかにももの静かな長身の紳士だった。

初めの学生が私を引きぬきながら、なにか残念そうな口調でいった。「こんなものでも、当りどころが悪けりゃ、けっこう死にますね」

「貸してごらん」といって先生は微笑《ほほえ》んだ。学生から私を受取り、二、三度ふってみて、「思ったよりも軽いね。しかし、欲張《よくば》ることはない。これでも、君たちには、けっこういい研究材料だ。最初の実習としてはおあつらえむきかもしれない。この棒から、どんなことが分るか、一つみんなで考えてみることにしようじゃないか」

先生が私をついて歩きだし、二人の学生が後につづいた。三人は雑沓をさけて、駅前の広場に出、ベンチをさがしたがどれもふさがっているので、緑地帯の縁にならんで腰をおろした。先生は私を両手にささげて持ち、眼を細めて光にすかすようにした。すると、私は妙なことに気づいた。同時に学生たちも気づいたとみえて、ほとんど同時に口をきった。「先生、ひげが……」どうやらそのひげは附けひげだったらしい。左端がはがれて、風でぶるぶるふるえていた。先生は静かにうなずき、指先につけた唾《つば》でしめしておさえつけ、何事もなかったように両側の学生をかえりみて言った。「さあ、この棒から、どんなことが想像できるだろうね。まず分析し、判断し、それから処罰の方法を決めてごらん」

まず右側の学生が私を受取って、いろいろな角度からながめまわした。「最初に気づくことはこの棒に上下の区別があるということです」筒にした手の中に私をすべらせながら、「上の方はかなり手垢《てあか》がしみこんでいます。下の部分は相当にすりへっています。これは、この棒が、ただ路端にすてられていたものではなく、なにか一定の目的のために、人に使われていたということを意味すると思います。しかし、この棒は、かなりらんぼうなあつかいを受けていたようだ。一面に傷だらけです。しかも捨てられずに使いつづけられたというのは、おそらくこの棒が、生前、誠実で単純な心をもっていたためではないでしょうか」

「君の言うことは正しい。しかし、幾分、感傷的になりすぎているようだね」と先生が微笑をふくんだ声でいった。

すると、その言葉にこたえようとしたためか、ほとんどきびしいといってもよい調子で、左側の学生がいった。「ぼくは、この棒は、ぜんぜん無能だったのだろうと思います。だって、あまり単純すぎるじゃありませんか。ただの棒なんて、人間の道具にしちゃ、下等すぎますよ。棒なら、猿にだって使えるんです」

「でも、逆にいえば」と右側の学生が言い返した。「棒はあらゆる道具の根本だともいえるんじゃないでしょうか。それに、特殊化していないだけに、用途も広いのです。盲《めくら》を導くこともできれば、犬を馴《な》らすこともでき、テコにして重いものを動かすこともできれば、敵を打つこともできる」

「棒が盲を導くんだって？　ぼくはそんな意見に賛成することはできません。盲は棒に導かれているわけではなく、棒を利用して、自分で自分を導くのだと思います」

「それが、誠実ということではないでしょうか」

「そうかもしれない。しかし、この棒で先生がぼくを打つこともできれば、ぼくが先生を打つこともできる」

ついに先生が笑いだしてしまった。「瓜二《うりふた》つの君たちが言い合っているのを見るのは、実にゆかいだ。しかし、君たちは、同じことを違った表現でいっているのにすぎないのさ。君たちの言っていることを要約すれば、つまりこの男は棒だったということになる。そして、それが、この男に関しての必要にして充分な解答なのだ……すなわち、この棒は、棒であった」

「でも」と右側の学生が未練がましく、「棒でありえたという、特徴は認めてやらなければならないのではないでしょうか。ぼくは、標本室で、ずいぶん色んな人間を見ましたけど、棒はまだ一度も見たことがありません。こういう単純な誠実さは、やはり珍しい……」

「いや、われわれの標本室にないからといって、珍しいとはかぎるまい」と先生が答えた。「逆に、平凡すぎる場合だってあるのさ。つまり、あまりありふれているので、とくに取上げて研究する必要をみとめないこともある」

学生たちは、思わず、申し合せたように顔を上げて周囲の雑沓を見まわした。先生が笑っていった。「いや、この人たちが全部、棒になるというわけではない。棒がありふれているというのは、量的な意味よりも、むしろ質的な意味でいっているのだ。数学者たちが、もう、三角形の性質をとやかく言わないのと同じことさ。つまり、そこからはもう新しい発見はなにもありえない」ちょっと間をおいて、「ところで、君たちは、どういう刑を言いわたすつもりかな？」

「こんな棒にまで、罰を加えなけりゃならないんでしょうか」と右側の学生が困ったようにたずねた。

「君はどう思う？」と先生が左側の学生をふりかえる。

「当然罰しなければなりません。死者を罰するということで、ぼくらの存在理由が成立っているのです。ぼくらがいる以上、罰しないわけにはいきません」

「さて、それでは、どういう刑罰が適当だろうかな？」

二人の学生は、それぞれ、じっと考えこんでしまった。先生は、私をとって、地面になにかいたずら書きをはじめる。抽象的な意味のない図形だったが、そのうち、手足が生えて、怪物の姿になった。つぎに、その絵を消しはじめた。消しおわって、立上り、ずっと遠くを見るような表情で、つぶやくようにいった。

「君たちも、もう、充分考えただろう。この答えは、易しすぎてむつかしい。講義のときに習ったおぼえがあるだろうと思うが……裁かないことによって、裁かれる連中……」

「おぼえています」と学生たちが口をそろえていった。「地上の法廷は、人類の何パーセントかを裁けばいい。しかし、われわれは、不死の人間が現われでもしないかぎりこのすべてを裁かなければならないのです。ところが、人間の数にくらべて、われわれの数はきわめて少ない。もし、全部の死人を、同じように裁かなければならなくなったりしたら、われわれは過労のために消滅せざるをえないでしょう。さいわい、こうした、裁かぬことによって裁いたことになる、好都合な連中がいてくれて……」

「この棒などが、その代表的な例なのだ」先生は微笑して、私から手をはなした。私は倒れて、ころげだした。先生が靴先でうけとめて、「だからこうして、置きざりにするのが、一番の罰なのさ。誰かがひろって、生前とまったく同じように、棒としていろいろに使ってくれることだろう」

学生の一人が、ふと思い出したように、「この棒は、ぼくらの言うことを聞いて、なにか思ったでしょうか？」

先生は、いつくしむように学生の顔を見つめ、しかし何もいわずに、二人をうながして歩きはじめた。学生たちは、やはり気がかりらしく、幾度か私のほうを振向いていたが、間もなく人波にのまれて見えなくなってしまった。誰かが私を踏んづけた。雨にぬれて、やわらかくなった地面の中に、私は半分ほどめりこんだ。

「父ちゃん、父ちゃん、父ちゃん……」という叫び声が聞えた。私の子供たちのようでもあったし、ちがうようでもあった。この雑沓の中の、何千という子供たちの中には、父親の名を叫んで呼ばなければならない子供がほかに何人いたって不思議ではない。

（「文芸」昭和三十年七月号）

人肉食用反対陳情団と三人の紳士たち

広い控え室の入口に近く、つくりつけのベンチが三つ並んでいて、その一つ一つに大きな真鍮《しんちゅう》の灰皿と屑《くず》カゴがついている。灰皿も屑カゴもいっぱいで、いまにもこぼれだしそうだ。ついさっきまでここにも大勢の人がいたにちがいなく、まだ二、三の吸いさしからは青い煙がいきおいよく立ちのぼっていた。しかしいまは一人しかいない。骨組の固そうな、やせた小男が一人、神経質に膝《ひざ》をふるわせながら掛けていた。

もう日暮れが近いらしい。天井が高いので、刻々空気が冷えていくのがよく分る。まだあたりには人の気配が立ちこめていて、それがかえって周囲の静寂をひきたたせるのだ。小男はハッとして体をゆするのをやめた。ズボンの布がすれあう音が異様に高くひびくような気がしたからだ。絶望的に眼をあげて、暗いつき当りのドアをみた。ドアの前には制服の役人が一人、もう一時間もまえから静かに鉛筆をけずりつづけていた。

その向うは、あまり大きくない、しかしいかめしい感じの窓のない部屋だった。中央に彫りもののしてある事務机、正面にはさらに奥につづく重そうなドアがあり、右手の壁に地図とどこかの風景画、左手には皮ばりのソファがある。そのソファの両袖《りょうそで》に、それぞれステッキを手にした二人の紳士が重く疲れた姿勢でよりかかっていた。二人とも身軽な背広姿だったが、落着いた気品のある身のこなし、それに胸には政府の要人であるしるしの金のバッジが光っている。頭のはげた黒服のほうが、おさえた声で咳《せき》ばらいした。髯《ひげ》をはやした茶の服のほうが、下唇をかんで膝をさすった。しばらくそのままの姿勢で沈黙がながれる。そこに、正面のドアが開いて灰色の服をきた三番目の紳士が入ってきた。この三番目の紳士には左腕がなかった。

「おそくなって、失礼した」

そういって事務机の前に、折れこむように腰をおろすと、かすかに首を横にふりながら、かわりに茶の服が立上った。すると茶の服には右脚がないのだった。

「いや、君が来たのは、まだ早すぎたくらいだ。私たちは、結局、なんの結論もえられなかったのだよ」

「しかし」と灰色の服が中味のない袖の具合をなおしながら神経質に、「連中に、代表一人のこして引揚げさせるようには、話してくれたんだろうね」

「そのことはうまくいった」と黒服が、姿勢をくずさず、首だけをのばして、ずっと遠くを見るような目つきで口早に言った。この男は盲《めくら》だった。「彼らも、問題が複雑だということだけは、納得したんだな。そして、われわれの誠実をある程度までは信じたようだ。われわれが、彼等の要求をどうしても理解できずに悩んでおり、理解しようと努力しているということを、一応は認めたらしい。それで、代表一人をのこして、いましがた全員引揚げていったところだ」

「で、どうするつもりなんだい……？」灰色の服はいらいらした調子で、机の端にまげた指先をやたらこすりつけた。「そんなじゃ、連中を説得するなんて、思いもよらんじゃないか。だから私ははじめから、交渉をうけつけること自体に反対だったのだ」

「しかし」と茶の服がなだめるように、「このままでは私たちの不安はたかまる一方だ。もう見ないふりをしているわけにはいかなくなったということを、君だって認めたはずだろう」

「なにも見ないふりをしようと言っているんじゃない。手はうつさ、しかし、交渉なんて、やつらをつけ上らせるだけのことじゃないか」

「ちがう、私らはもう打つ手を見失ってしまったのだ。残されているのは、事態の正確な把握ということだけなのだ。私にはまだ彼等の要求を叛逆《はんぎゃく》だとはすぐに思えない」

「同感だな」と黒服が言った。「連中の言い分ときたら、まるで雨が上から下にふるのがけしからんと言ってるようなものだ。とても本心から言っているとは思えない。正しい、正しくない、と水掛論議をくりかえしているより、この際じっくり話し合って、誤解をとくというやり方のほうが大人だよ」

「君たちは楽観しすぎている」と灰色の服。

「いや、君こそ問題を甘くみているんだ」と茶色の服。

「まあとにかく代表の話を聞いてみようじゃないか」と黒服が二人をなだめて見えない机のベルをさぐった。

灰色の服がかわってベルをおした。

よばれて入ってきた控え室の男は、この部屋では一際《ひときわ》みすぼらしくみえた。顔色が青ざめ、全身がこわばり、足もとがかすかにふるえている。

「君はなにをそんなに昂奮《こうふん》しているんだ」と茶色の服が笑いながらステッキで椅子《いす》をさし、「気楽にしたまえ、気楽にしたまえ、われわれは対等の立場で話すつもりだよ」

しかし男は黙って深々と頭をさげただけだった。

「いったい君はどういう資格の代表なんだね?」と灰色の服がむっつりとした表情で

聞いた。

「うたがうわけじゃないが、わが人民の代表にしちゃ、見すぼらしすぎる。それに君は、三十年式改良種以前のタイプだねえ」

男は唾《つば》をのみこみ、乾いたふるえ声で、とぎれとぎれに答えた。

「はア、さようであります。私は、代表なんぞになりたくはなかったんで、ありますが、ただ、一番年長であったのと、体つきが悪いので……」

「体つきが悪いので……？」

「はア……」

「それはまた、どういうわけだ」と灰色の服。

「なるほど」と黒服が皮肉な調子で、「肉づきがよかったりしたら、われわれに食欲《しょくよく》をおこさせはしまいかと、心配したんだろう」

「まさか……」と茶色の服は笑ったが、男が黙ってふるえているので首をかしげ、「まさか、君たち、そんな馬鹿《ばか》げたことを信じてるんじゃあるまいね。君たち指導格の連中がそんな知能程度じゃ、ちょっと話にならん。私らが生きたままの君たちに食欲を感じるだなんて……いいかい、私らが君たちを食用に供するのと同じように君たちはブタや牛を食べるね。しかし君たちだって生きているブタに食欲を感じたりすることはないだろう。むしろ、同じ生物としての愛情をさえ感じるはずだ。私らの君たちに対する感情だって同じことなんだよ。ソーセージや切身になった君たちと、生きている君たちとを、同じにあつかうほど私らは無神経ではないからねえ」

「はア……それに、すこし、風邪気味でして……」

「うん、冷えてきたようだな」黒服が手さぐりでヒーターのスイッチをいれた。「すぐ、あったまるよ。しかしこの代表は、そんなに不味《まず》そうかね？」

「三等肉だ！」と灰色の服がはきすてるように言って、「君は去年の全国一斉増肉接種もうけなかっただろう、ごまかしても駄目だ」

「はア、ちょうどあのとき、胸をいためて、熱がありましたもので……」

「いいじゃないか」と茶色の服。「いまは個人的な問題にするときじゃない。それより、代表としての言い分を聞かしてもらうことにしようじゃないか」

「いや、私はやはり問題にしたいねえ。というのは、その要求なるものが、要するにこうした三等肉連中のひがみから出たものじゃないかと、そんな気がするからだ。つまり、表面は人肉食用反対とかなんとか言ってるが、実はその逆を言いたいので……」

「とんでもない」と代表がはじめて積極的に口をきいた。「私どもは目覚めはじめま

したんで。同じ人間が人間を食うなんてことが、人道上許されるべきじゃないってい
う、真理に目覚めはじめましたんで。私らの言い分が、決して無茶でないってことの
証明に、一番肉にされる率の少ない私のようなものが代表にえらばれましたです。ひ
がみだなんて、とんでもないことで……」
「だから、そこんところが私らには分らんのだよ」と茶色の服がおだやかに言った。
「人道上とかなんとかいうが、どうして人間が人間を食っちゃいけないのかね？　も
う何代も何代も、思い出せないほどの昔から、君たちは食われ、私たちは食ってきた。
私たち食う階級は、君たちを食うために育て、改良し、はん殖させてきた。君たちあ
っての私たち、私たちあっての君たち、という関係だ」
「でももし、あなた方が、食われる立場にたったら……」
「君が私を食うんだって！」思わず黒服が叫んで立上った。「人間の肉は高いんだよ。
君たちにそんなぜいたくが出来るわけがないじゃないか。ありもしない仮定で論議す
るのはよそう」
「はア……」
「本当だよ」と茶色の服がなだめるように、「つまり、君たちは駄々をこねているん
じゃないのかい？　本当の目的は人肉食用反対なんかじゃなくて、たとえば人肉の統

制解除とか、減税だとか、あるいは……」

「駄目々々」と灰色の服が割込んできて、「とんでもないことだ。そんなことをしたら、諸君はすぐにでも共食いをはじめるだろう。諸君は互いに食いつ食われつ、しまいには絶滅してしまうにちがいない。いいか、君たちが私らと同じように、人間の肉を食いたいと思うだろう気持はよく分るよ」

「いや……」

「まあ、待て。しかし私は許さん。絶対に許しません。君らがもっと肉量増加に協力すれば、自然国家がゆたかになり、いつかは君らも自由に人肉が食えるようになるわけだ。羊飼いが群をはなれる羊を打ちすえるのは、法にかなった行いだと思わんかね？」

「いや、皆さん、私どもが申しておりますのは、つまり人肉食用反対というそのことだけなんで……それはもう、はっきりしております。共食いだなんて、めっそうもないことで……」

「だから、なぜめっそうもないのか、そこのところの訳を聞かしてほしいといっているんだよ」茶色の服もすこしいらだってきた。

「牛が草を食う。その牛を君たちが食う。そしてその君たちを私らが食う。ところでそのはじめの草は誰のものか？　言うまでもなく私らのものだ。この大循環は自然の原理だろう。君たちが何んに反対しているのか、さっぱり分らん。まさか君たち、変な宗教を信じはじめたんじゃないだろうねえ」

「どうして分っていただけないのでしょう」代表はおろおろしながら、両手をもみ合せた。「人間が人間を食うなんて、どんなに野蛮なことかっていうことが……」

「分らんよ！」と灰色の服がはげしく机を叩《たた》いて叫んだ。代表はびくっと体をひきつらせ、手の甲で額の汗をふいた。いつの間にか部屋の温度が上っていた。しばらくのあいだ固い沈黙がつづいた。

「つまり、君たちは、死ぬのが恐くなったのかな？」つぶやくように黒服が言った。「そうだとすると、これは一種の神経衰弱だ。やっかいな問題だが、しかし本質的な問題ではないことになる。死に対する恐怖は、人類の一般的な問題で、人肉食用とは一応別なことがらなんだから」

「なるほど」と茶色の服がほっとした調子でいった。「そうだね、きっとそうにちがいない。そういうことなら納得がいくよ。ねえ君、そうなんだろう？」

「いえ……」と代表は声をつまらせ、なにか続けて言おうとするらしいのだが、うまく声にならない。

「じゃア、なんだっていうんだ」茶色の服の声がまた険悪になる。

「だから交渉なんて無意味だといったんだ」灰色の服が噛《か》みつくように言った。

ふたたび、そして一番ながい沈黙がきた。

「分らん……分らん……」ステッキでたくみに重心をとり、ゆっくり部屋の中を歩きながら、茶色の服が呟《つぶや》いた。「私はなんとかして分りたいと思うんだ。君たちと対立したいなんて思ってるんじゃない。暴力で支配しようなんて思ってるんじゃない。しかし、分らん……どうしても分らんのだ……なぜ私らが君たちを食っちゃいけないのかね？　なんといったって君たちの肉がいちばんうまいし、栄養もあるし、また体にも合うんだよ。こういう合理的なことが、なぜいけないのかね……」

黒服があとをつづけた。「私らは君たちのはん殖と健康に責任をもっている。君たちの勝手にまかせておくよりは、質量ともに何倍にもふやしてきたわけだ。そのふやした分を、肉にして返してもらう。私らの権利じゃないかね。そしてそれはまた君たちの命と健康を守ることでもある。共存共栄というやつだ」

「もういい」と灰色の服がいまいましげに言った。「もう言うことはないんだろう。言うことがなけりゃ、会見はこれで終りだ」

「本当にもう言うことはないのかい？」と茶色の服がやや不安気に、「言いたいことがあるんなら、早く言いなさい。あとになって、私らが無理押しをしたなどといわれるのは心外だからな……じっさい、私は理解しようと努力したんだから……」

「だんなさま」ふいに代表が床に膝《ひざ》をついて叫び声をあげた。「だんなさま方、お助け下さい、私の娘がクジに当ったんでございます。今日、トサツ場に出頭したんでございます。娘は十三歳で、学校に通っておりました。本を読んだり、作文を書いたり、笑ったりいたします。娘は製ハム部にまわされるんだそうでございます。あれは、母親似で、甘いものが大好物で、大変よく油がのっておりました。油だけは還元配給してくれると係の方が申しておりましたが……だんなさま方、お助け下さい……」

三人の紳士たちの顔は、同時にはげしい怒りでひきつった。灰色の服がベルを押し、入ってきた役人に向って命令した。

「つれて行け！」

「なにか理論があるのかと思っていたら、つまり要するに、通俗的な感情にすぎんのだ」茶色の服が苦々しげに鼻をならした。

「だから、言わんこっちゃない、はじめからまともに相手にできる連中じゃないって言ったんだ」と灰色の服。

「私は買いかぶっていたんだよ。問題がもっと哲学的なんだろうと誤解して……」

「とんでもない！」と黒服がうめいたが、ふと首をかしげ、「しかし、あれは一体どういう心理なんだろう？　クジが当ったのは、なにもあの男の娘ばかりじゃないだろうに……もし私があの男の立場で、私の娘がハムにされるとしたら、私もあんなにさわぐだろうかな？」

「つまらん」灰色の服は奥に通じるドアに手をかけて、「魚が水に溺《おぼ》れそうだってさわぐのを、まじめに受取る馬鹿がどこにいるものか。芝居だよ、芝居にきまっているる」

「なんのための芝居かね？」そう言いながら黒服もステッキにすがって立上った。

「きっと、よほどうまそうな娘だったのさ。自分で密殺して食う気だったのだろう……そうだ、トサツ場に電話して、その娘の肉をすこし取りよせてみるか」

「なるほど、ちょっとした気晴しだな」電話をかけはじめた灰色の服にうなずいて、茶色の服もやっと気をとりなおしたらしかった。「いや、だまされた。私は気がよすぎたよ。どうも、お人好《ひとよ》しも困りものだな。私は連中を買いかぶっていたんだ」

「そういうのを擬人法的錯誤というんだよ」ドアの方へ、ステッキで床をさぐりながら黒服が微笑《ほほえ》んだ。

「なんだって！」と突然灰色の服が電話器に叫んだ。「トサツ場がストライキだって？……」

その声に、二人の紳士も思わず棒立ちになった。灰色の服が振向いてたずねた。

「ストライキっていうのは、正確にいうと、どういう意味だったかな？」

茶色の服が口ごもって、「うん、聞いたおぼえはあるんだが……たしか外国語だね……いや、たぶん古代語だ」

黒服があいまいに、「そう、なんでも、いやな感じの意味だったと思う」

二人は黙って廊下に出た。しばらく行くと大きな書庫があった。中に入って百科辞典をひっぱり出した。茶色の服がストライキの項目をさがしだした。灰色の服がその肩ごしにのぞきこみ、黒服はすこしはなれて待っていた。

「なんて書いてあるかね？」

しかし二人はページのあいだに顔をふせたまま答えもせず、身じろぎもしない。

かすれた声で黒服が言った。「おや、鐘が鳴っている、聞えるかい……」

「しかし、私は、絶対に誠実だったよ」茶色の服があえぐように言った。「私は、絶対に、誠実だったよな」

灰色の服があわてて顔を上げて言った。「そうだ、急いで家に、肉のストックをするように電話しとかんといかん」

その声に三人の紳士たち、盲と片腕と片脚の紳士たちは、われがちに書庫をとび出しもつれあいながら、つむじ風のように古い廊下を走っていった。

（「新日本文学」昭和三十一年一月号）

鍵《かぎ》

1

田舎から出てきたばかりらしい一人の若者が、あちらこちらたずねまわったあげく、歩きくたびれて、丘の下までやってきた。そこには南京豆《ナンキンまめ》の殻をつないだようなバラック造りの長屋がぎっしりと並んでおり、通りぬけるだけでも骨がおれそうな風景だ。思わず溜息《ためいき》をして見まわすと、ちょうど共同井戸の向うにそこから裏の丘にあがる石段があり、よく乾いてあたたかそうだったから一まずそこで休むことにした。持ってきた餅《もち》のつつみを開けてみるとすっかり乾いて固くなっている。ナイフで小さくきざんで唾《つば》でしめしながら奥歯でもう一度つきなおしていると、そこに洗濯物をかかえた二人づれのおかみさんが通りかかって何をしているのかと声をかけた。

「何をしてるって、見れば分るだろう、ごらんのとおり餅をかんでいるのさ。それとも餅を焼く火を貸してくれるとでもいうのかね？」

くたびれまぎれに、ついそんな憎まれ口をきいてしまうと、おかみさんの一人がつれを振向いて腹立たしげに言った。

「ねえ、近頃じゃこういう若僧が一番あぶないんだよ。することに事欠いてこんなところにまでやってくる。ほうっておいちゃろくなことはないから、男を呼ぼうか。」

急に話が険悪になったのにおどろいた若者は、立上って丁寧にわびを言った。

「実はこうして朝から人をたずねて歩いているんです。ところが番地も丁目も知らず、町の名前だけがたよりなものだから、いつになったらさがしだせるのか見当もつかず、くたびれはててやっと今ここに錨《いかり》をおろしたところなんですよ。」

するとおかみさんたちも機嫌をなおし、東京に来て町名だけで人をたずねるなんて、まるで海におとした針をひろうようなものだ、しかし私たちに分ることなら力になってあげるから名前をいってごらんと親切に言ってくれた。

「久木三男という人なんですがね、千葉の出身でたぶん今年五十三歳だと思います。」

おかみさんたちは笑いだした。笑いながら彼のうしろを指さして、

「そんなら、おまえさんが今腰掛けていたのがその人の石段じゃないか。そこに、名札もたっている。」

なるほど石段のわきの棒杭《ぼうぐい》によごれた標札が打ちつけてあり、まぎれもなく久木という名が読みとれる。石段にそって丘の上を見上げると、錆《さ》びた鉄のパイプを組んだ門がみえ、葉のおちた貧弱な庭木をとおして灰色の陰気な二階屋がそびえていた。

ところが若者はすこしもうれしそうな顔をみせず、かえってがっかりした表情で、

「しかし、折角ですけど、この家はちがうと思いますね。私がさがしているのは錠前工場につとめている千葉県出身の久木三男で……」

「そうだよ、この久木さんも錠前工場にでているよ。」

「でも職工長がこんな家に住めるはずがない。うちの死んだおふくろがたしかにそう言いましたよ。うまくいけば今ごろは職工長くらいにはなってるだろうってね。」

「だからそれがこの久木さんだってば。以前はたしかに職工長だったがね、今じゃ出世しちゃって技術部長なんだってさ。しかしおまえさんみたいな人がなにしに久木さんをたずねて来たんだい？　同県人だからって、職の世話をたのみにかい？　そんならおせっかいのようだけど、よしたほうがいいかもしれないね。」

もう一人もすかさず相槌《あいづち》をうって、「まったくだ。あの人の評判はよくないよ。そういう考えだったら、汽車賃損したつもりで、田舎に戻ったほうが利口かもわからない。」

「なぜそんなことを言うんです？」若者はややむきになって、「あの人はおれの叔父さんだよ。おれの死んだおふくろの義理の弟ですよ。おふくろが死にぎわに、ぜひ三叔父をたずねて将来の相談にのってもらえって言ったんだ。ええ、おふくろはあの人

を、三叔父っていう具合によびましたよ。職工長か、そうでなくても年期を入れた腕のいい錠前工だろうって。」

「でもあの人は技術部長さんさ。」女たちはずるそうに顔を見合せ、「ま、そういうわけなら行ってごらん。私たちはそこで洗濯しながら待ってるからね。洗濯がすむまでに戻ってこずにすませたら、まあおめでとうだ。」

「行ってみますよ。」と若者は肩をそびやかせて負けん気に答えてみたが、二、三段あがったところですこし心配になってつけくわえた。「……でも、留守かもしれないからな。」

女たちも共同井戸のほうへ歩きだしていたが、これを聞くと一人が急に声をたてて笑い、いかにも含むところありげな調子で、「おあいにくさま、あの人は最近じゃめったに外出しないようだよ。」するともう一人が、まえの女の言いすぎをたしなめるように、指先で相手の肘《ひじ》をちょっとつまんで目くばせして、「発明家だからね、毎日とじこもって研究してるんだって……」

女たちの調子に、さすがの若者も疑いとためらいの色をみせ、もっと詳しい話をせがむ顔つきで戻りかけたが、女たちがそのままこちらに背をむけてしまったので、また持ちまえの負けん気にもどってきっと口もとをひきしめ、どうしても平らに踏めないすりへった革靴をむりに踏みしめながらまっすぐ石段を上っていった。

石段はぜんぶで二十三あった。思ったより急で門についたときはすこし息切れがしていた。見下ろすと枯葉色の、苗屋の庭の温床のようなトタン屋根の列の割目から、さっきの女たちが仰向いて手をふっている。それがずいぶん小さく見えたので、半ばおかしく思い半ば不思議に思いながらも、手をふりかえして、そのまま元気よく門をおして中に入った。

なにか尋常でない気配である。まず建物の具合がおかしかった。建物そのものは、ただ窓がすくなく、いやにのっぺりした感じという以外、これといった特徴もないのだが、その特徴のなさが実はたくらみだといったふうな、信用のおけぬ構えなのだ。たとえば見掛けはまるで薪《まき》になるのを待っている軒下の枯木の皮みたいだが、頭の中は地獄の釜《かま》みたいにとろとろ煮えているという、あの熱病やみの顔でも連想してもらえばいいだろうか。

なに、あのかみさん連中が変な言いかたをするからいけないのだ。どんなものの本にも書いてある。くにを出て、ながいあいだ消息をたっていた後で成功した叔父なんていうものは、いつでも親に死に別れた甥《おい》には親切でやさしいものにきまっているさ……それにしても随分荒れほうだいな庭だな。明日からおれが見ちがえるように手入れしてやることにしよう。あの西向きの斜面は排水がよさそうだから客土して大根畠《ばたけ》にするといい。その手前に眼隠し用の薔薇《ばら》をうえて……

そんなことを考えながら玄関のほうへ庭を横切り、眼だけは空想の薔薇垣をたどっていくと、それが建物にぶっつかって終ったところにちょうど窓があって、白いだぶだぶの服をきた女がこちらをむいて立っていた。ところがいかにも奇妙な具合なのだ。眼をつぶっているのは盲《めくら》のせいかもしれないが、しかし顔はまっすぐこちらをむき、腕をのばして両手の掌《てのひら》を窓にぴったりくっつけている。まるで狐《きつね》つきの女が雄狐の訪問を待ちうけているような恰好《かっこう》である。それでも年の頃はちょうど若者と同じくらいだったから、あるいは従姉妹《いとこ》かもしれないと思い、いそいで会釈《えしやく》すると、女はそのまま身をひるがえして姿を消してしまった。

変な気がしたが、玄関をあけてくれるために引込んだのだろうと、しばらく待ってみたが一向にそれらしい様子もなく、気になりだしたが考えてみれば自分の身なりの粗末さが相手を警戒させているという可能性もあった。そこでわざとさり気ないふうをつとめ、咳《せき》ばらいをしたりしながら元気よく玄関に踏み込んで、ドアを叩こうとしたとたんにこちらをのぞいている眼とぶっつかった。その眼はドアのちょうど眼の高さにある細いのぞき穴の中にあった。

若者ははげしい屈辱を感じた。思わず胸をそらせて向うの眼を見返したが、相手はいっこうおかまいなしで、観察をやめようとしない。そこで若者は一歩さがってやや挑戦的な口調でこう言った。

「叔父さんはいますか、千葉からきた秀太郎です。」

しかし向うは相変らず無言である。若者は心配になり、こんなふうな言い方をすべきではなかったかもしれないと、すこし後悔した。そこで態度をあらためて、気持のいい笑顔をつくりながら次のように言いなおしてみた。「東京というところは広いとこですね。町名だけをたよりにさがして歩いてたら、海におとした針をひろうようなものだと笑われましたよ。朝一番でついて、いままでかかっちゃいました。でも運のよかったほうかもしれませんね。やれやれ……で、叔父さんはいらっしゃいますか？」

ふいにドアの向うでひびの入った明笛《みんてき》のような声がした。

「死んだのか。」

若者は瞬間耳をうたぐって眉《まゆ》をよせた。が、すぐにそれが母親のことをさして言ったのだと気づいて、こんどは顎《あご》の力をぬいた。いろんな考えが雌を追いかける二匹のいいいみずすましのようにくるくる走りまわる。しかしこういう瞑想《めいそう》にはあまりなれていないたちだったので、そのなかからただ一つの結論だけをぬきだして満足することにした――（なるほど、するとこれが当の三叔父なんだな……）

「そうです、死にました。三叔父さんによろしくっていうことでした。」

「その変な馴《な》れなれしい呼びかたはよせ。田舎者のずうずうしさはまったく際限なしだ。こっちが恥ずかしくなる……」ますます声がひびだらけになり、燃えさしの紙片れのようにちりちりと縮まったのを、大きな痰《たん》にして力いっぱいはきだし、しかしまだ充分もとにもどらない錫箔《すずはく》をふくんだような声で、「死人をもちだせばなんでも通ると思ったら大間違だぞ。」

若者の顔は裏切られた苦痛にゆがみ、絶望的な沈黙がきた。それでもドアのむこうで一度苦々しい溜息がしたあと、やっと鍵《かぎ》の音がして、とにかくドアを開けてくれた。かび臭いしめった風が流れだしてきた。

叔父というのは猫背の小男だった。とがった頭がてっぺんまで禿《は》げあがり、いやに古典的な銀縁の眼鏡がたえずずり落ちるとみえて鼻のつけ根にすべすべした赤いくびれをつけ、もちあがった上唇にたくわえた薄いひげはタバコのやにで黄色くぬれていた。膝《ひざ》まであるかぎ裂きだらけの黒い上っぱりを下シャツのうえからじかに着ていたが、その袖口《そでぐち》をたくしあげるようにして苛立《いらだ》たしげにもみ手した。だがその手ははかと不似合に大きくて、関節がとびだし、親指がヘラのようにつぶれたまさしく職人の手であった。

叔父のすぐ後に立っているのはさきほど窓から見かけたあの白服の娘である。こんどははっきり眼をあけてこちらを見ているのだが、方向がすこしずれているうえに焦点のおきどころがちがっている。やはり多分盲なのだろう。そういえば幾分そり身になっているところなどそれらしい特徴だ。背丈は叔父と同じくらいだが、ほっそりとよく均勢がとれており、顔はこれといった特徴もないのだが、なにかおびえたような傷《いた》ましさが感じとられる。さらにその奥の、廊下の陰にいま一人女の姿がみえたが、それは暗くてはっきりは見分がつかなかった。

「それでいったい何んの用があるというのだね？」

若者は歯をくいしばって眼をふせた。共同井戸から振ってみせた女たちの明るい手の色を思い出していた。するともう一方の考えがポケットのなかの軽さを思い出させるのだった。町を歩いているのはもはや人間でなく、ズボンをはいた鋏《はさみ》たちで、紙にくるんで大事にしまってある彼のたった一枚のきれいな千円札を、とりあげてずたずたに切り裂こうと待ちかまえている。それを打ち消すように女がさらに手をふると、鋏がやってきてその手をちょん切った。ところがちょん切られた手は切られてもなおひるまず、蝶々のようにひらひらと笑いつづける……若者は思った。よし、広い世間は自由なんだ。なにもこんなところで厭《いや》なめをみることなんかありやしない。

若者がそう考えたのと同時に、叔父はなにを思ったか大げさにもみ合せていたその手をあわててひっこめた。そして、そのはずみに声がとびだしたといわんばかりの調子で、腹立たしげに叫んだ。

「よろしい、とにかく上りなさい、わしがようく調べてやる。」

すると突然形勢が逆転した。若者が逃出すがわで、叔父が捕えるがわになっていた。尻《しり》ごみする若者の腕をつかんでむりやり引きずりこみ、はずみをくらってよろけこんだところをさらに突きとばし、間髪を入れずドアの錠をおとした。娘が小さな悲鳴をあげた。廊下の女がばたばたと奥へ逃げこんだ。

「どうしたっていうんです。なにもこんな乱暴しなくたっていいじゃないですか。」

甥も思わず声をはずませて叫んだ。

しかし叔父はもう落着をとり戻していた。早く靴をぬぐようにうながし、黙って廊下の奥を指さす表情には有無をいわせぬ決意がみえた。急にあたりが暗くなった。蝶々はもうわが家めざして帰ったにちがいない。甥はふと達人が弟子をためすときの意表をついたテストのやり方のことを思いうかべていた。薪を割っている最中、いきなり後ろから切りつけられる……部屋に入っていくと天井から枕《まくら》が落ちてくる……寝ているところを槍《やり》で突かれる……そう、可愛《かわい》い子には旅をさせよという諺《ことわざ》もあったっけ……

そこで若者はまた元気をとりもどし、万事にそなえた屈托のない態度で、導かれるまま狭い廊下をとおりぬけ、急な階段を上って大きな部屋に来た。娘はずうっと叔父に影のようにつきそっていた。

そこは小さな高窓が三方にあいた、壁面の多い二十畳あまりの板の間で、一面機械や道具がちらばっており、小型の旋盤まであるちょっとした作業場である。隅のほうに仕切りをして、大きな事務机と書棚と整理箱と、それに簡単な応接セットがそなえてあった。叔父はその向う側に席をとり、テーブルをはさんだこちら側に甥と娘をかけさせ、うしろのスタンドにスイッチを入れて光がまっすぐ甥の顔をてらすように笠《かさ》をまわした。

「さあ、波子、はじめよう。」

叔父がそう神経質にうながすと、娘が若者のほうへ体をのりだしてきて、ほとんどためらわずに両手でそっと従兄弟《いとこ》の右手首をつかんだ。その手はすこしも皺《しわ》がなく、貝殻の粉でまぶしたように白く光っており、魚のように冷たかった。若者は思わず身をすくませた。

「いったいこれは、どういうことです?」

「ためすのだ。おまえがどういう男かはっきりさせてやる。」タバコに火をつけたがすぐまたもみ消して、「いいか、二、三質問するから卒直に答えなさい……第一、おまえはわしのことをどう思ってるか？　いい叔父だと思ってるのか？」

「ええ……」

そううなずくと同時に娘の波子が囁《ささや》くような声で、しかし鋭くさえぎった。

「嘘《うそ》よ！」

甥は驚いて息を飲んだ。一瞬混乱して自分がどこにいるのか忘れてしまいそうになった。遠くから叔父の得意気な高笑いが長い神社の石段のようにゆっくり彼のほうへおりてきた。

「波子のまえで嘘はつけん。この子は天然の嘘発見器だからな。その脈の変化や体のふるえで、どんな嘘もたちどころに暴露されちゃうんだ。油断しちゃいかん、狐は狐で、狸《たぬき》は狸さ。さあ、もう一度計ってみろ、わしはいい叔父さんかな？」

「……分りませんよ。」

「嘘つけ！」

娘が静かに訂正した。「本当よ、嘘じゃないらしいわ。」

叔父は不機嫌そうに口をつぐんだが、しばらく間をおいて、またたずねる。「じゃあ聞くが、おまえは盗癖があるだろう。」

「ありませんよ。」

叔父が娘をうかがい、娘がうなずく。

「おまえはたしか人の話を立聞きするのが好きだったな。」

「まさか！」

やはり娘がうなずくので、叔父はいらいらして体をふるわせ、それをみて甥はすこしは悪い返事もしなけりゃいけないなと考えた。そこで次は反対の答えをすることに決心した。叔父は質問を考えながらテーブルの疵《きず》を指先でこすっていたが、甥の視線が自分の手を追っているのに気づくと、歯ぎしりして叫んだ。

「なにを見てる！」

あまり唐突だったので思わず本当の返事をしてしまった。「手です。」

「なぜだ、なんのためだ、なにか気にかかることがあるのかね？」

「べつに……」

娘がきびしくさえぎった。

「嘘よ。」

「そうれみろ、」叔父が勝誇ったように声をふるわせた。「さあ、言うがいい、きさまのその腐った根性をはきだすんだ。いますぐおまえがどんな人物かはっきりさせてやるからな。さ、言うんだ、言いなさい……」

甥は呆《あき》れてしばらく口をきくこともできない。そんな大さわぎするほどのことを考えていたわけではないのだから、こうなるとかえって言いだしにくいのだ。でも面倒くさくなった。なるようになればいいと思って、

「ぼくは、ここに来たときから思っていたんですけど、叔父さんの手はとても印象的ですね。とても親しみぶかくて、立派ですよ。」

すると叔父は当然甥が出まかせを言ったと考えたらしく、意地のわるい笑いをうかべて娘を見たが、娘がうなずいて承諾を示したので、急にきょとんとした表情で椅子《いす》の背にもたれかかってしまった。唇を内側にめりこませて髯《ひげ》を嚙《か》んだ。それからいつのまにかまたしきりと揉《も》み手しはじめていたが、それに気づくとびっくりしたようにやめて、うめき声をたてた。

「なに、わしの手は立派なもんさ。しかし、今後は、二度と見るんじゃないぞ。」

2

そんな具合で、若者は、しばらく叔父の家に住みこむことになった。だがこの善良な甥《おい》はいささかも叔父にたいして感謝する必要はなかったのである。ちょうど数時間まえに女中が辞職を申出たところだった。そら、若者が玄関から廊下の暗がりのなかにちらと認めたあの女だ。そういうわけだったから、甥はまんまと叔父のワナにかかったといったほうが、表現としては正しいことになるだろう。実際この家ではどんな女中も三週間以上つづいたためしがなかった。むろん嘘発見器の娘のせいである。甥の訪問はもっけの幸いだったにちがいない。

従兄弟を下の女中部屋に案内しながら波子がこんなことを言った。

「気をわるくしないでね。父は重要な発明をしてるので、いつも敵にねらわれてるのよ。あなただけにあいうことをしたのじゃなくて、他人にも同じようにするの。だから、これからも時々あんなふうな質問をしますけど、私たちの立場を理解して気をわるくしないでね……」

女中部屋にはまだ女中がいた。窓のぜんぜんない四畳半で、半分だけ畳が敷いてある。ぼんやり裸電球のともっている下に、まとめた荷物をつんで、女中は虚《うつ》ろな表情で頬杖《ほおづえ》をついていた。波子は盲のくせに目あきより敏捷《びんしょう》だ。つつとすべるように近づいて女中の手首をつかむと考える余裕もあたえずに言った。

「ヨシさん、そら、荷物の検査をされたら困るわねえ。」

「ええ……」そう言ってしまってからヨシとよばれた女中ははっとして立上った。顔をあからめ、涙ぐみながら、せっかくしばった荷物を手荒くひきあけると、中のものをめちゃめちゃにかきまわして、小さな赤い針箱をつかみだし、はげしく波子の足もとに叩《たた》きつけた。波子は黙ってひろいあげ、わずか首をかしげて悲しげにつぶやいた。

「どうしてみんな、こうなのかしら……」

二人きりになってから若者が女中にたずねてみた。なぜあのとき「ええ」などと答えたのか。あんたはもうやめたのだから、返事をしないで、手をふりきってしまえばよかったじゃないか。すると女中のヨシは恥ずかしい思いをした後だったので、終始むっとしたまま荷造りのしなおしに熱中するふりをしていたのだが、若者のこの言葉に幾分気をやわらげて、こんな具合に説明してくれた。

「知らない人はみんなそう言うよ。でも、そら、あんたはそういう経験があるかどうか知らないけど、子供のとき演芸会にでたことがあれば分ると思うんだよ。このまま幕がおりないで、いつまでも永久に芝居をつづけていなきゃならなくなったら、どうしようってね……とってもいやな感じ、我慢できやしないよ。だいいちそんなに長い台詞《せりふ》をおぼえるなんて出来っこないからねえ。そこで仕方がないから、そこが私の家で、そこに私一人きりで住んでる気持になってみるんだな。誰とも話をしないで、自分とだけ話しするようにすればいいのさ。先生が来てなにか言ったって、もう知らん顔。だって怒るわけにはいかないじゃないの。何をしたって、私のしてることはぜんぶきまりどおりしてることになるんだから……そんな具合にしているうちに、だんだん思ってることがぜんぶ口にでるようになってしまうんだよ。」

それを聞いて若者はすっかり不愉快になってしまった。

「馬鹿馬鹿《ばかばか》しい。そういうことは犬の訓練だけにつかうべきで、人間相手にすべきことじゃない。おれがもしもっと早くここに来ていさえすりゃ、決してそんな目にあわせやしなかっただろうによ。なんなら、これから行って辞職の取消しを交渉してやろうか。」

女中は若者のこの言葉に心を動かされたもようで、うれしそうに歯をみせて微笑《ほほえ》んだが、自分は自発的にやめようと思ったんだし、いまねがうのはただここを出たいという一心だ、ただあんたみたいないい男が私の後釜《あとがま》にすえられてつらい目をみるのかと思うとそれだけが心残りだと、すこしくまのはいった大きな眼を上眼づかいに見ひらいて、本当に残念そうな顔になった。

若者は自信ありげにうなずいた。自分はともかく男だし、それにここの主人のれっきとした甥なのだ。そう勝手な真似《まね》ができるわけがない……すると女中はまた次のような話をして若者の油断をたしなめた。

「なにも女中ばかりがそういう目にあうんじゃないんだよ。私ははじめ、この家には奥さんがいないものだときめこんでいた。だって私が来たときいなかったし、誰もいるようなそぶりは見せなかったからね。ところが十日ほどたった日の夕方のことさ、見なれない女の人がたずねてきて、私がここの奥さんだって言うんだよ。そして、どんどん上りこんじゃってね、あっちこっち歩きまわりながらぶるぶる震えてるのさ。そのうち旦那《だんな》様がお嬢さんと一緒に二階から降りてきてね、奥さんが泣きそうな声で、ただいま、私帰ってきたのよ、いろいろ考えてみたら、私も悪いところがあったし……っておっしゃると、旦那様はただ一言《ひとこと》、ああそうか、そして私を見て、黙って人を通しちゃいかん、ってそれっきり……そのまま二階に上ってしまったの。奥さんはそれから長いことお部屋で泣いていらしたわ。ところが夜中よ、変な音がするので目をさましたら、二階で……そのドアをちょっと開けると二階の声はつつぬけ……なにが聞えたと思う、旦那様とお嬢さんと二人して、奥さんを追っかけまわしてるんじゃないの。奥さんは逃げまわりながら、こう言って叫んでらしたわ。波子、よして、おはなしってば、おまえ私の娘じゃないの、私はおまえの母親じゃないのって……私こわくなってドアを閉めちゃった。次の日朝早く、奥さんはまたどこかに出掛けてしまってね、もうそれっきり戻っていらっしゃらないのさ……」

若者もこんどはすっかり考えこんでしまった。女中はそろそろ食事の仕度だからといって腰をあげた。

3

そのあいだに若者は一応家の中をまわってみることにした。しかし考えてみると奇妙な構造の家である。玄関から女中部屋にまっすぐ通っている廊下で建物の階下が左右二つの部分に仕切られているのだが、右側には台所、食堂、風呂場《ふろば》、奥さんの部屋と称するもの、とそれぞれドアがついているのに、左側の部分にはぜんぜんドアがない。これはいったいどういうわけだ？　考えられるのは二階にもう一つ別の階段があって、そこから階下の左の部分に通じているという場合だけである。階段の下に立って耳をすましたが、べつに物音もしなかったので、思いきって上っていってみた。誰もいない。ということは、あの親娘が廊下におりる階段以外のところから姿を消したという証拠でもある。戻って女中にたずねようかとも考えたが、まきぞえをくわせたくなかったので、自分だけで調べることにした。足音をしのばせて、隠し戸のありそうなところを見まわっていると、ふいに事務机の仕切のうしろから叔父が姿をあらわし、皮肉な笑いを浮べながら言った。

「ふん、おまえもか、そうくるだろうと思っていたよ。」

しかし、思ったより落着いた調子なので、甥のほうがかえって気抜けしてしまった。叔父は甥の弁解を待っている様子だったが、甥がいっこうに黙りこくっているのをみると、呆《あき》れたというふうに下唇をつきだしてみせ、

「おまえみたいな根性曲りを無事につかおうと思うと、いらん手間もかけなきゃならんというわけだ。ほっとけばいずれ気のすむまでうろつくつもりだろう。なにもこちらが負けたという意味じゃない、うるさいからその好奇心を先に満足さしてやろうというだけさ。馬に道草くわせないためには、出掛けるまえにうちの草を腹いっぱい食わせることだというからな……さ、ついてこい、ほしいだけ食わしてやるよ。」

案のじょう、仕切の奥に、書類整理棚にかくれて小さなくぐり戸があり、急な階段が下に通じているのだった。また狭い廊下があって、つき当りに小部屋があった。そこがはじめに娘を窓ごしに見たあの部屋だった。

部屋の中には見なれない器具がいっぱいにちらかっていた。

「いま波子の日課のトレーニングをしているところだ。人間の隠された偉大な能力の発見だよ。見ていなさい。おまえにもそのうち手つだってもらうことになるかもしれないからな。」

内容はそれほどでもないのに、それを言う調子は上ずっていて、尋常でないなにか残忍なひびきがこもっている。「ダイスだ。」そう言ってまずとり上げたのは、六枚一組のキラキラ光る金属板だった。それぞれ一本、見えるか見えないくらいの幅のちがう疵《きず》がついていて、叔父が適当に一枚ぬいて渡すのを、波子が番号で言い当てる。つぎが「時計」。叔父が目盛を動かしたのを、娘がダイヤルをまわして言い当てる。そんなふうにして順に、「絵本」、「魚釣り」、「風見雞《かざみどり》」、「電信機」とすすんでいき、最後が「地震計」だった。これはその名のごとく、地震計に長い鉛の棒をとりつけたもので、叔父が糸でくるんだキイで一方の端を打つのと、彼女が地震計に近い側でふれて感応するという、おそろしく微妙な訓練だった。その日は三八という数字が記録された。

若者は考えていた。いったいこれは何んのための訓練なのだろう？　女中の嘘を見ぬくためだけにしては、すこし手がこみすぎている。それに、見せまいとすれば見せずにすんだものを、なぜわざわざおれに見せたりしたのだろうか？

「おまえが今なにを考えていたか、わしにはちゃあんと分るがね。」

見ると叔父と波子がこちらを見てニヤニヤ笑っていた。

「そりゃ分るでしょう。」

「教えてやってもいいよ。」

若者は返事をしなかった。あんなに他人の嘘にようしゃしない男が、こちらの利益になるものをわざわざ与えてくれるわけがない。聞いても聞かなくてもいいようなことだから教えてくれようと言うのだろう。若者が黙っていると、叔父の足もとから不安気なあせりがぶるぶる震えながら這い上ってきて、それが狭い肩のあいだで網にかかった魚のようにはねかえった。叔父は眼鏡を外して指先で眼を顔の中におしこみ、断水した水道管のような吐息をついた。

「いまおまえがなにを考えてるかくらい、ちゃあんと分っとるんだ！　馬鹿が……」

ちょうどそのとき、食事を知らせるベルが鳴った。叔父はぐったりとして、眼をとじた。

4

それからその夜は、一度に実に様々なことがおこった。

主人たちの夕食のあと、台所で食事をとりながら若者と女中はまず未来の友情を約束し合ったのである。若者が言いだして、女中がすぐそれに応じた。二人は今後の連絡場所を交換し、名残りを惜しんだ。八時に女中は主人たちにも別れをつげて家を出た。どんなにか若者も一緒に出て行きたかっただろう。しかし生きていくためには一枚の千円札を鋏《はさみ》どもにきざませ、そのあいだに千米《メートル》にげのびて、また追いつかれたところでつぎの千円札をとりだして渡す……つぎつぎそんなふうにして一生もつだけの千円札が約束されなければ困るのだ。

そのあとにすぐ一人の客がやってきた。叔父はドア越しに客と怒鳴りあっていた。甥は部屋にひっこんでいたので詳しいことは分らなかったが、相手はどうやら会社の同僚らしかった。切れ切れにつぎのようなやりとりが聞えてきた。

「鉤十字《かぎじゅうじ》の特許を、云々《うんぬん》」ということを客が言うと、叔父は金切声をあげ、

「くやしけりゃ、その錠を開けて入ってこい。貴様ごときがおれに太刀打できるか」というような激しい言葉で応じた。「会社での地位は……」と客が言うと、「問題は哲学だ。おれの錠か貴様の錠かだ。おれの錠は鉤十字で防げるが、貴様の錠はなんでふせげる。下司《げす》やろう、地位などいくらでも貴様にくれてやるわ……」という具合にとうとうとやりかえす。そのうち客がまだなにかくどくど言っているのに、もう貸す耳はないとばかりにさっさと部屋に戻ってしまった。

それでもまだしばらくのあいだ、ぶつぶつ言う声や、時々思いかえしたように戸を叩《たた》く音がしていた。するとニ階から叔父が叫んだ。

「おい、小僧、行って追い返してしまえ！」

若者は玄関に出てドアごしに客に言った。

「もう、ああなっちゃ、とっても駄目ですよ。なにしろ、ごらんのとおりなんだから……」

すると客は溜息《ためいき》ついてこう答えた。

「弱ったね。久木さんは、まあ、なんといっても一種の天才なんだがね。天才っていうのがそもそも世間にゃ向かないんだね。あの人が自分で鉤十字なんて持ってたってしようがないんだよ。要するに私に対する厭《いや》がらせじゃないか。」

「なんです、その鉤十字ってのは?」

「知らないのかい……まあいいや、そういうことにしておこう。」そう言って客は鍵《かぎ》にまげた指をのぞき穴からつき出し、しきりとなにか引っかけるような仕草をしながら、

「つまり一種の天才的な万能合鍵さ。四つの親鍵を卍《まんじ》型に頭でくっつけ合せたものでね、久木さん一代の発明だよ。ところがこいつが盗人《ぬすっと》の手にでも渡ってみろ、とんでもないことだぞ。だから早く会社に特許をわたして、法的に製造を不可能にしようじゃないかって持ちかけてるわけさ。会社じゃ最高値で買うって言ってるんだからねえ。ところで君は一体誰です? 久木さんの助手かね。私の言ってることが分るだろう。明日の会議に報告しなきゃいかんのだよ。たのむ、私を入れてくれ……」

「あの人はどうしてそれを厭がっているんです?」

「だから言ってるじゃないか、私に対する厭がらせだって……あの人の専門は鍵のある錠さ。ところが私の専門は鍵のない文字組合せ錠だ。彼は波子さんを訓練して、どんな文字組合せ錠だって、鍵なしで開くじゃないかと豪語するわけだがね、ああいう例外の人で一般を論じられちゃ困る。なんたって、これからの時代は鍵なし錠さ……ときに、君、ほかから鉤十字のことで話しに来たものはおらんだろうねえ……」

若者はなにか事情がすこしずつ分りかけてくるような気もしたが、やはりどこかちがうという気持はぬぐいきれなかった。客の話の内容が充分のみこめないせいもあったがそれだけでもなかった。考えてみても分ることでなく、若者はただ言いようのない苦痛に心をむしりとられるような苛立《いらだ》ちを感じた。ただなにかしら決定的な破局が、客の言っているようなこととはまるでちがったところから、突如としておそいかかってくるにちがいないということだけは確信をもって言えるような気がした。

そのとき、いつの間にか波子がすぐうしろに立っていて、彼の腕に手をかけ、うなずいてみせた。若者は素直にしたがった。うながされるまま部屋に戻ってドアをしめると、客の声はもう聞えなくなっていた。

床をとって横になった。重い疲労にすぐ眠ったが、眠りは浅く、ほとんど三十分おきに目がさめた。夜は物音であふれている。目がさえきって、神経がいまにもたちきれそうに張りつめると、やがてぷつんと音をたててまた睡《ねむ》りこむ。なにか特に気になるような音がしたようでもあるし、しないようでもあった。そんな具合にしてやがて夜明けが近づいていた。

ふいにサイレンのひびきが夜の最後の幕をひき裂いて彼の眠りに終りを告げた。空気が固く息をとめていた。それから玄関のドアがいまにもこわれそうに叩かれる。出てみると、警官たちだった。まだ充分さめきっていない若者を、つきとばすようにして警官たちがなだれこんできた。それはぜんぶがほんの一瞬間の出来事だった。しばらく待ってみたが、叔父の声も波子の叫びも聞えない。ただ警官たちの靴音が無表情に、右から左に、左から右にと、建物の構造にそってすばやく移動するだけだ。

タバコをくわえた責任者らしい警官にそっとたずねてみた。

「叔父を起してきましょうか？」

警官は笑った。そして、思いきりの嘲笑《ちょうしょう》をこめてこう言ったものだ。

「ふん、貴様が昨日千葉から来たっていう小僧っこだな……じゃ教えてやろう。貴様の叔父貴と御令嬢はだな、いまごろ留置場のコンクリートの上でたのしく抱き合っておねんねだろうさ。あいつは、錠前破りの兇状《きょうじょう》持ちなんだぜ。今夜は、とうとうその現場をおさえてやったというわけさ……」

「じゃあ、鉤十字の特許は……？」

「ふん、そんなもの、ありやしない。ぜんぶ隠れミノの嘘っ八だったのさね……さ、おまえも一緒に来るか、大した手間はかけんだろうからな……」

警官はタバコを投げすてて若者の手をつかんだ。ふりほどこうとしたが、あきらめて、手をつかまれたまま外に出た。石段の下はまだ暗かった。むろんまだ蝶々の飛んでくる時間でもなかった。

（「群像」昭和三十一年三月号）

耳の値段

ある善良な大学生が、なにかのはずみで留置場にほうりこまれた。なぜそういうことになったのか、思い当るふしはぜんぜんなかった。おかしなことに、彼を捕えた警官が翌日交通事故で死に、ついでに書類が紛失してしまったので、警察のほうでも分らないでいるらしかった。

留置場には二人の男の先客がいて、二人ともむろん捕えられた理由をちゃんと知っていたから、それについていろいろ抗議などしていたが、大学生のほうは理由が分らないから抗議するにもしようがない。彼はただまごまごするばかりだった。

しかし二人の友人は、ただ彼を容疑者の風上にもおけない水くさいやつだと思いこみ、警官たちも、よほどのしたたかものにちがいないと考えて、迷宮入りの犯罪記録をあれやこれやとひねくりまわしたりしたものだ。

ある日彼はおかしな夢を見た。その夢の中で彼は釈放されることになった。しかしそうなると、二人の仲間は彼を軽蔑《けいべつ》し、警官たちは彼がもっときっぱり無罪を主張しなかったということに腹をたてだした。無事釈放になってみたものの、ひどく後味がわるく気が重い。いっそ本当になにか悪いことをしておけばよかったとさえ思った。

キラキラ光の粉がまう、初夏の昼さがり、大学生は留置場を出ると、まっすぐ学校にむかった。教室には行かず、校庭にまわって噴水のあるベンチに腰をおろす。めまいがして胃がこみあげてきた。腹がすいていた。

むろん、教室に行ってもかまわないさ。しかし、教室に行くためには入るなり正面にはりだしてある巨大な月謝滞納者の表の下をくぐらなければならないのだ。いや、あれだけはごめんこうむろう。

一時間ほどそうして掛けていると、同級の学生が彼をみつけてやってきた。

「目木君って、君だろう？」

そうだ、と眼でうなずくと、

「学校じゃあんまり会わないね」と言いながら彼のわきに並んで掛け、「おれは横山といって君の同級生だよ。知ってるかい？」

「そういえば、おぼえがあるな」

「それはそうと」と急に忠告がましく、「月謝滞納表に、君の名前が赤字で出ているよ。教室に出ないのは君の主義なんだろうからいいとしても、せめてあれを見にくるくらいのことはしなきゃいけないね」

表の名前は期限の三ヵ月前からはりだされそれが赤字に変るのは最後通牒《つうちょう》というわけだ。赤字になってから、さらに一と月おさめないでいると、自動的に退学処分をうける。

「知ってるよ」と目木はうつむいて、飛び出してきそうな胃の腑《ふ》をおさえながら、

「ぼくはこの一週間ばかり留置場にとめられていたんだ……」

「じゃ、君は……?!」横山は目をむき、それがしだいに感嘆のまなざしに変り、「そうだったのか」とため息まじりにはき出された言葉には、いつか深い友情と尊敬のしるしがこめられていた。

「君は、月謝をおさめる金を工面しようとして、なにかたくらんだわけだね」

横山の共感にみちたその言葉をきくと目木はまた相手の期待を裏切ることをおそれて声がふるえた。「ちがうんだ。おかげで、当にしていたアルバイトの口がだめになったのさ。あんなことさえなきゃ、なんとかなっていたんだよ」

「じゃあ、いったい、なにをしでかしたというんだい?」

「……それが、うまく言えないんだよ」

「いいとも!」と横山は元気よく立上り、「ちっとも言う必要なんかないさ。君はいいやつだ。さ、心配するな、今日の昼めしはおれにおごらしてくれ」

いくら食っても、食った気がしない。無理に食事をつづけながら、その申しわけのように お喋《しゃべ》りをはじめる。

「……そのアルバイトは、かなりの金になる予定だったんだよ。相手は昔新聞記者をしてたっていう人でね、色が白くって、ふとっていて、とても立派な感じだった。そら、法科の学生を求むって、学生課のカードに出ていただろう。十六人も応募者があったよ。面接試験をうけて、四人パスした。ぼくも運よく採用してもらえた」

「当然さ。目のある人間なら、君を採用しないという法はない」

「いや、その採用試験ってのがまた変っていたんだ。ワラ半紙に、『六法全書とけ金もうけの手引きを書いた本である』というのと、『みだりな金もうけをとりしまる本である』というのと二行書いてあってね、正しいほうにマルをつけ、理由を説明せよというんだよ、そして、金もうけの手引きだって書いたほうの四人がとおった」

「そりゃなかなかのケツ物だぞ。で、その理由は」

「ぼくらは法科の学生だろう、いずれ六法全書で商売するんだから……」

「なるほどね」

「三日ほどしてぼくら四人に採用通知がきた。行ってみると、その人の部屋に、山のように古雑誌がつんであってね、仕事というのは、その雑誌の小説の中から、悪口を書かれている人や場所や会社の名前なんかをさがしだすことだった」

「変ってるね」

「そして、それを電話帳でしらべて、同じ名前のものがあったら、書きぬいてカードにつくるんだ。それから、その名前の実在のほうの相手の事情をあの人がいいというまで徹底的に調査する。カードが完成したら一組につき二百円、さらにそのカードで利益があがったら利益に応じた割増金がつく」

「どういうんだい、そりゃ?」

「六法全書の応用だよ。ぼくは留置場の中でこの考えの深さをつくづくと味わされた。釈放されたらもう一度あらためて六法全書を読みなおそうと思った」

「しかし君は六法全書を持ってるのかい?」

「いや、持っていないんだ」

「そうだろう。そうだろうと思ったよ。かまわんから、おれのを使ってくれ」

「ありがとう」

　横山が立ってタバコを買いにいった。立上った瞬間、窓からもれた光線がぱっと彼の耳を照らした。ずいぶん大きな耳だなと思った。横山が二つ買ってきた一箱をむり

やり目木の手におしこんで——むろんわけなく押こめた——それから外に出ようとう
ながした。外は相変らずキラキラ光の粉が降っている。
歩きながら横山が、
「それで、さっきの話のつづきはどうなんだい？」
目木は急にあおざめて地面にすわりこんでしまった。ひさしぶりのタバコがこたえ
たのだ。「よく分らない」と手のひらに顔を埋め、くいしばった歯のあいだからうめ
くように、「帰りぎわに、六法全書で名誉毀損《きそん》の項をよく勉強しておけって言われた
きり……それきりぼくはあの人に会っていない」
横山は目木を木陰にはこび、上着の胸のボタンをはずし、ハンカチであおいでやっ
た。
「そしてその帰りにつかまっちゃったんだよ。ぼくは巡査にたのんだ。捕まえられる
のはいいけど、アルバイトの雇い主に一言《ひとこと》ことわりを言いにいかしてほしいって……
ところが巡査はきいてくれないのさ。証拠隠滅するおそれがあるって言ってね。でも
実際行く必要なんかなかったのだ。その日のうちに向うから、馘《くび》にするっていう通知
をとどけてくれた」
「ひどいことをするやつだ、まるで卑劣漢じゃないか」

「でもぼくはそう困らなかったよ。どうせもう退学になってしまうんだから、月謝なんかはらわなくたっていいだろう」

「だって、現にまだ退学になっていないじゃないか」

「だから、いまは、困ってるよ」

「おれは断然、君の逮捕は、そのアルバイト親父《おやじ》と関係があると思うな。無責任だよ。絶対抗議すべきだ」

「いや、そうじゃない。警察でもそうは言わなかったし、それに、捕まったのはぼく一人だ」

「じゃ君はいったいなんで捕まったんだい?……いや、そうか、言えないんだったね……でも抗議にだけは行くべきだ」

「しかし、ぼくは思うんだけど……」と目木は心持たじろいで、「あの人のやってること、あれは一種の恐喝じゃないかな……」

「ちえっ」と横山はますます勢いこんで、

「おれをそんなにみくびらないでくれよ。それくらいのことで、びくついたりするもんか。さ、行こうよ」

横山がむりやり目木をひきたてる。よろよろと立上りながら目木は思わず呟《つぶや》いた。

「君、ずいぶん大きな耳をしているんだねえ」

「そうなんだよ」といって横山は耳をつまみ、にやりとした。

もと新聞記者というその男の家は、一面古雑誌で埋もれていて、そのすみっこに、学生の一人が、あぐらをかいて雑誌をめくっていた。振向こうともせず、奥にむかって「先生！」と叫ぶと、古雑誌の間から、先生なる男がぬっと姿を現わした。なるほど、堂々とした役者のような美丈夫である。いきごんでいる目木たちを見ると、「おう」といかにもなつかしげな微笑を顔いっぱいにたたえ、机の雑誌のあいだをぬって駈《か》けよるなり、目木の肩をぽんと叩《たた》いて、ふんわり柔くこう言った。

「だめだめ、いまさら来たってもう駄目だよ。うちのように法律に関する仕事をしているところは、デリケートなんだから、君のような人を使うわけにはいかんのだ」

その言葉の調子と内容の異様な対照に、二人がただ呆然《ぼうぜん》としていると、先生はさらにたたみかけるようにして、

「だから私は言ったんだ、六法全書の精神を学びなさいとな。じっさい君らみたいなチンピラやくざには、なにを言っても無駄なんだなあ」それからほとんどうっとりしたような声で、「さ、帰った帰った」

横山が目木の肘《ひじ》をつついた。われにかえった目木があわてて、

「でもぼくは、無罪だったんです」

「話は聞いてる。同じことだ」

横山がむっとした調子で目木にかわり、

「しかし、知ってるんですからねえ、あんたのやってることだって犯罪同様じゃないか」

「おやおや、おどろいた」先生は眼をほそめ、薬指の先でうすい鼻ひげの上をかるくたたきながら、「それじゃ教えてあげるが、法律というものはだね、なにもしなかったということに保証をあたえてくれたりするものじゃないんだよ。必要なのは、具体的なあることに関して、それをしなかったという事実だけ。つまり法にかなった人生というものは、あらゆる行為がつねになにかのアリバイになっているように、きちんと計画された人生のことなんだ。やれやれ、君らにこんなことを言うなんて、私はまたなんて親切なおせっかい屋なんだろう。さ、これ以上は、もう何をいっても駄目だよ」

「それじゃ、ぼくは、どうすればいいんです？」

「六法全書、六法全書」目木の顔の前で、蠅《はえ》でもおいはらうように、しかし優美な仕《し》種《ぐさ》で手をふりまわし、おどろいて後ずさった、二人の鼻づらに、大きな音をたてて戸

がしまった。
　畜生、と叫んで横山がとびかかったが、錠がおろされたらしくてびくともしない。
「行こうよ」と目木が横山の腕をとった。さぐるような横山の視線から目をそらして、
「いいんだよ、それより、君のところへ行って、六法全書の研究をすることにしよう
よ」

「いったい君はあいつの言うことを、納得したのかい？」電車に乗ってからも横山は
まだ腹立たしげだった。
「いや、態度は面白くないけどさ、でも、考えには一理あるような気がしてるんだ」
　するとその一言に横山はひどく感服してしまって、
「なるほど、花をすてて実をとるというわけか。やはりちがうな、冷静そのものだな。
そう言われてみると、たしかに、あの人生アリバイ説なんか見事なもんだったよ、あ
あいう具合に生きていくのが本当かもしれない」
「六法全書の化身みたいな人だ」
「なにもそう卑屈になることはないさ。おれたちもやってやろうよ。あの先生の向う
をはって、こちらもいっちょう名誉毀損法の普及といこうか」

「だめだ、資本がかかる。あの人は屑屋《くずや》に親類がいるらしいんだ。それにあの貫禄《かんろく》がものを言うよ。ぼくらはもっと初歩的な、資本のかからないものを考えなくちゃ……」

「つまり、六法全書の研究だな」

「だから、そう、はじめから言ってたじゃないか」

「すまん」と横山はあたりの乗客がびっくりして振向いたほどの大声をあげて、「おれは君を信頼したつもりでいて、本当にはまだまだ信頼が足らなかったんだ。あやまるよ。君はすっかり見ぬいていたんだな。もうちゃんと計画もできていたんだな。不平を言わしてもらえば、君がそれを早く打明けてくれなかったのが悪いとも言える」

「そんなことはないよ」と目木はひどく狼狽《ろうばい》して、「ぼくはただ決心しただけなんだ。留置場にいて、つくづくと……」

「なにをさ？」

「つくづく、六法全書の勉強が足らんかったっていうことをさ……」

なんだ、というふうに横山が下唇をつきだして、窓の方を見た。そろそろ日暮が近づいていた。電車がS駅のホームにすべりこんだ。ぎっしり乗客をつめこんで、おくれて駈けつけた幾人かを残したまま、ドアが閉り……と叫び声がおこって乗客がいっせいにドアの方をふりむいた。ドアに手をはさまれたまま、動きだした電車と一緒に、若い女がホームを駈けていた。さいわいすぐに急停車して、ドアが開き、女はよろめきながら無事駅員の腕にだきかかえられていた。

「ホームのうしろの方でよかったな、前の方だったら危いとこだった」そう横山が呟いたと同時に、あっと叫んだ目木が横山を押しまくり、他の乗客がわめきだすのにもかまわず、閉る寸前、二人はドアの外にとび出していた。

駅員が二人に向って何かわめいている。電車が走り去った。

「どうしたのさ？」

「思い出したんだよ」と目木は変な目つきで横山の耳を横目に見ながら、口早に言った。

「アルバイトの試験で例の六法全書の定義を聞かれた瞬間だった。六法全書と金もうけ、この二つの組合せがぼくの頭の中の何かをチカチカ刺戟《しげき》しはじめたんだな。しかし、それがなんだかは分らない。あの人の仕事の内容が分りかけてくると、チカチカするのはますますひどくなった。留置場にいるあいだじゅう、ぼくはチカチカしつづけていたよ。無罪ということになった。ちょっとの間だけおさまったような気がしていた。そこに君が現われた。月謝滞納表の赤字のことを聞かされた。またチカチカが鳴りはじめた。そして次が君のその耳だ」

「耳……?」横山はうろたえて、そのきくらげのように横にはった白い大耳を、手のひらでかくした。二人はいつの間にか、ホームの端の階段のところまで来ていた。

「耳だよ」と階段に足をかけながら目木が言った。

「どこに行くのさ?」とやや不安気に横山が足ぶみする。

「いいから」と確信ありげにかまわず先に立ち、「その君の耳を見たとき、チカチカはいままでの十倍も大きな音で鳴りだしたんだ。心臓がそんなふうになったみたいに、息苦しくって、目まいがきそうだった」

「ちがうよ、あれはタバコのせいさ」

「そんなものじゃない。絶対君の耳のせいだよ。あのあともずうっと、君の耳に目がいくたびに音は激しくなる一方だった。君の耳を見るのがつらいくらいだった」

「なぜ、そうならそうと、もっと早く言ってくれなかったんだい!」

「悪気じゃないさ。つらくても、それが一歩一歩問題点に近づいている証拠だと思えば、我慢しないわけにいかないじゃないか。それに、六法全書がいずれ解答をあたえてくれることは分っていた。産みの苦しみは大きいほど、産まれる子供も大きいという……」

「馬鹿《ばか》な、おれの耳と六法全書となんの関係があるんだい」

「あるんだよ、それが大ありなんだよ。六法全書にはちゃんと値段が書いてある」

「もう一度聞くけど」と横山が足をとめて疑わしげに言った。「君はなんで留置場なんかに入ったんだって？」

「だから、説明しようがないんだって言ったじゃないか」

「なるほどねえ……」たしかめるような薄眼をして、皮肉でも言いたげに唇の端をゆがめた。

「君は信じないのか？」

「耳の値段をかい？ 信じろっていうほうが無理だろう」

「じゃあ、もし本当だったらどうする。賭《か》けるか？」

「なにを……？」

「むろん君の耳をさ」

「いいとも、なんだって賭けるよ」

うなずいて目木は地下道を先に立って歩きだした。

「どこに行くのさ」と横山は尻《しり》ごみしながら、「六法全書を見るんなら、おれの家に行ったほうがいいだろう」

「いや、もっといいものがある所を知ってるんだ。わざわざ頁《ページ》をくらなくたって、一《ひと》目《め》でぼくの勝を証明できるものがある。実はあの電車にひきずられた女を見たとき、あの女の体が六法全書に見えたんだ。とっさにぼくはチカチカの答を発見しちゃっていた。注意していさえすりゃ、六法全書ってやつは生きてそこらを歩きまわってるもんなんだな。いまじゃ、君の耳までが、六法全書に見えはじめたよ」

目木が横山を案内してきた場所は、S駅の中の売店と待合室にはさまれた陰気な隅っこだった。

「それだよ」と目木が指さすところを見ると、チョコレートの自動販売機のような黄色く塗った鉄の箱があり、(簡易交通傷害保険自動販売機……十円で二万円の保険がかけられます)と書いてある。目木がつづけて、「君は安部公房という小説家を知ってるかい？」

「名前は聞いたことがあるな」

「変な、六法全書をつかって金もうけをする方法みたいな話ばかり書くやつだよ。ぼくはずっと前、そいつがこの機械で金をもうける話を書いたのを読んだおぼえがあったんだ。それが潜在意識になって残っていたんだな。胃袋のやつが、金がほしい金がほしいとわめきだす。するとと頭がチカチカしはじめる。思いだせ、思いだせ、そら何からうまい金もうけの方法があったじゃないか……」

「いやにげすな話を書くやつなんだなあ」

「え？……あ、安部公房か、小説家としちゃ大したやつじゃないよ。ただ、六法全書が金もうけの手引書だってことは知ってるやつらしいな。金もうけの方法はかなり研究しているようだ」

「そうかね……」

「そうとも、かなりつっこんだ研究だったよ。この機械を利用して、クラブを組織する計画までしてあった。でも、あれを読んだ当時は、こちらがまだ六法全書的な生活をつかむ態勢になかったんだ。さてこちらが六法全書を理解しはじめると、こんどは小説の方を忘れてしまっていた。それが、君の耳とあのドアにはさまれた女とで、とつぜんうまく結びついてくれたんだ」

「耳、耳、っていうけど一体どうして……」

「だからね、その研究、いや小説の中にいろいろと書いてあったんだよ。十円で二万円っていうのは、不具廃疾と死亡の場合だけなんで、あとは目玉が何パーセント、どの指の第何関節が何パーセント、腕のどこから先が何パーセントという具合に、比率で支払うことになっている。その中で、一番不便を感じずに、しかも一番率がいいのはなにかというと、耳たぶだっていうんだな。そこんとこだけが、ひどく印象に残っていたんだ。実さい、耳たぶなんて、なくてもかまわんものじゃないか。ところがそれでけっこう指なんかより率が上なんだよ。十パーセントだったかな。つまり人間の耳の値段は、十円の投資に対して二千円というかんじょうになる。二百円まで投資できるから、四万円、差引最高三万九千八百円というわけだ。そら……」とポケットから出した十円玉を投入口におしこんで、ハンドルをまわすと左下の穴から、汽車の切符を二つつないだほどの厚紙の券がとび出てきた。番号はS一〇二一……中心に切取線があって、上が申込書、下が受付票……横山につきつけるようにしながら、「どうだい、これでまず二千円」

横山はその券を受取り、裏表とかえしてみながらしばらくじっと眺めていた。ふと耳をつまみ、顔をあげた横山の目はよろこびに輝いていた。

「おれは誤解していた。君の考えがあんまりとっぴなもんだから、気が変なんじゃないかと思ったりした。しかし君はまったくの詩人だね。この平凡な日常生活の中から、こんなすごい冒険を発見するんだからなあ」

「そうじゃない、ぼくの発見じゃないよ。これは六法全書で定められたものの、必然的な結論なんで……」

「なんだって、かまいやしない。さあ、このおれの耳は君のものだ。自由にしてくれ、君のすきにしてくれ」

「いいのかい？……」

「いいとも、約束じゃないか。一つで三万九千八百円なら、二つでは七万九千、ええと……」

「いや、一つで沢山だよ。とりあえず、六千円あれば月謝のほうはなんとかなるし……」

「気の弱いことというね。とにかく二百円分券を買っちゃおうや」十円玉を二十枚、次々おしこみながら、「いいねえ、三万九千八百円のうち、君の月謝を引いて三万三千円強、その中からまた二百円で次の券を買ってと、ええ、いくらになるのかな……」

「二つとも、なくしちゃってかまわないのかい？」

「いいさ、こんな耳」

「じゃぼくもやるよ。四つなら全部で十五万円になる」

「すごい、すごいじゃないか、おれは彼女に靴を買ってやらなきゃならないんだ。六法全書万才、さ、行こう」

二人はまず階段のところで互いにつきとばし合うことにきめた。耳を切り落すとなればよほど強くやらなければなるまい。人に気づかれぬようにするのはなかなか大変だ。階段を二、三段おりたところで、つまずいたふりをして目木が横山の肩を押しとばした。横山は見事に宙に浮いて、計画どおり、耳から下に墜落した。たちまち階段のふきんは大混乱におちいる。

目木ははなれてしばらく様子をうかがっていた。幾重にも重なった人垣の中心が、さっとひろがりはじめた。その中からキョトンとした横山の頭があらわれた。白い大きな耳が二つとも、ちゃんとその両端につっ立っていた。

「どうしたんだい？」

「分らん……なにかやわらかいものに当ってゴムまりみたいにはねかえっちゃったんだ」

趣向をかえて、こんどは走ってきた電車に耳をこすりつけてみることにした。しかし、階段のときほど意気が上らぬ。電車を見ると思わずしりごみしてしまった。どうもひどく痛そうだ。睡眠剤を飲んで元気をつけよう。

そこで、三種類ばかりの睡眠剤と鎮痛剤を買い集め、適当にまぜて服用した。五分ほどすると横山は、ぼうと赤くなって、ヘラヘラ笑いだした。

今度は勇敢に、耳から先にとびついていった。と、はねかえされて、ホームの端でコマのようにまわりだす。ゆっくりとまって、さあどうだとつき出したその耳には、どういうわけだかかすり傷一つついていなかった。

「どういうわけだろう？」首をかしげ、ぴんと耳をはじいてみて、「つまり、この弾力がいかんのだよ。まるでゼンマイみたいにはねっかえりやがる」

つぎにはドアが閉ると同時に耳をはさんでぶら下ってみた。ぶらさがったまま、百メートル以上もひきずられたのに、相変らず色も変らないですましている。それどころかすこしのびて、前よりも丈夫になったみたいだ。あらかじめ、切目でもつけておけばいいのだろうが、それでは反則になってしまう。いや耳もこうなると馬鹿にけならんぞ。

ふと思いついたのが電車の連結器の上の踏板だった。両側から重なって、ギシギシ歯をかみ合わせているやつ。よしとばかりに乗り込んで、横山が酔ったふりをしながらまず踏板を枕《まくら》に横になる。目木がそれを介抱するようなふりして馬乗りになり、耳をはさんだ鉄板の上から力いっぱい踏んづける。

さすがに痛いとみえて、横山が恐ろしい悲鳴をあげた。

「おい！」と乗客の一人から声がかかった。あわてて顔をあげると、男は目木を見てにやりとした。あの留置場の巡査だった。いそいで目をそらし、そっと横山の耳のほうをうかがうとかすかに格子縞《こうしじま》の鉄板の跡が、ウエハースみたいについているだけで、掻《か》き傷一つみえないのだ。なんだかおそろしくなってきた。いったいこれでも耳なんだろうか。

それから二人は連日のようにあれやこれやと工夫しながら電車を乗りまわし、ある時は工事場の下に立って、落ちてくる煉瓦《れんが》を耳で受止めたり、またあるときは外を見てるふりをして耳の上に窓枠をおとしたり、思いつくかぎりのことをやってみた。三日たち、四日たち、五日たった。保険有効期限の一週間目も間近かにせまっていた。しかしどういうわけだかさっぱり成功しない。それどころか耳はますますたんれんされて、日増しに丈夫になり、大きさも厚さも目にみえて増してきた。

目木はあせり、横山は絶望した。ついに二人は最後の手段に訴えることにした。場所は比較的高い陸橋がホームの上にかかり、しかも壁でかこまれていないところというので、U駅がえらばれた。しかしどうやら耳に対するうらみのために、二人とも少々うわずっていたようだ。それに、こんどこそはという安心感からくる油断もあった。まず下のホームで横山が電車を待つふりをしながら陸橋の脚にもたれていると、目木が向うから陸橋をわたってきて、横山のいる真上の手すりでよろめいたふりをし、そのはずみに鞄《かばん》のポケットから刃をひらいたジャックナイフをすべり落とす。キラッと光を宙にはねちらしながら、音もなく手すりの向うにすいこまれていく。

そこまではまあ、筋書どおりにいったようだった。目木は息を殺して下の気配に耳をすました。しかし、なんのさわぎもおこらない。予定では目木のナイフが落ちてくると同時に横山がかくしもった自分のナイフで耳を切り落し、すばやく二つのナイフをとりかえてしまうはずだった。不思議に思ってのぞいてみると、横山がきょとんと馬鹿みたいな顔でこちらを見上げていた。ナイフは途中の出っぱりに、つきささって、とまってしまったのだった。

あわてて、手をのばすと、やっと届いた。拾いあげて鞄にしまい、もう一度とすばやい合図をのこして引返し反対側の階段から出なおすことにした。さて、今度こそはと、誰かに押されたそぶりでまたよろめこうとしたとき、その押した男がふいに目木の腕をぐっとつかんで、同時に固い鉄の輪がカチッとはまった。

「畜生！」思わずそう叫ぶと、

「馬鹿、現行犯だぜ」手錠をねじってのぞきこんできたのは案のじょう留置場の巡査だった。

「すみません、ちょっと下の友達に話しておきたいんですが……」

「でたらめ言うな、本当の友達なら向うからたずねてくるさ」

「しかし、六法全書の……」と言いかけて、そのまま口をつぐんだ。なんと言ったらいいのか分らなくなってしまったのだ。それになにからなにまでが、あまり筋書どおりなのでいまさら自分でものを考える必要なんかないみたいだった。

留置場についてみると、これはまた偶然なことに、せんだっての二人がまた戻ってきているのだった。目木は思わず「やあ」と顔をほころばせ、今までにない大声で元気よく言ったものである。「また戻ってきましたよ。よろしくどうぞ」


（「知性」昭和三十一年五月号）

鏡と呼子

1

村の入口の橋のたもとに立ったとき、Kは急に気ぬけして、虚《うつ》ろな気持になってしまった。べつに期待をかけてきたわけではないのだが、風景があまりにとらえどころなく、索莫《さくばく》としすぎていたからだ。むやみにひろい灰色の空の下、はるか地平線までつづいている、ただひたすらまっすぐなだけの道。道の両側に、枝をはらわれた親指のようなずんぐりした並木が、やはりどこまでも、ただ無表情につづいていた。

橋をわたったすぐ右手に、三十年も昔にはやった洋館風のすすけた木造の二階建てがあり、それが役場だった。煉瓦《れんが》をつんだ大きな門があったが、塀がなく、どこからでも出入り自在である。顔をあげると、窓からのぞいていた沢山の顔が、急にひっこんだ。そんなことは予期していたことだから、べつにおどろきもしなかった。

連絡の手紙にあったとおり、校長が、迎えに来てくれていた。はれぼったい眼をした、顔の小さい、臆病《おくびょう》そうな小男である。聞きとりにくいかすれた声で、しかし愛想よく、あたりのものに紹介をすませると、すぐ外にでようとうながした。

べつに迎えの乗物が用意してあるわけでもない。このまま歩いていくつもりらしいのである。そんなことなら、なにも校長がわざわざ出向いて来ることもなかっただろうに、腑《ふ》におちないことをするものだと思っていると、こちらの疑いが相手にも通じたのか、すぐに弁解がましい調子で、「どうも、ここでは、町から来た若い教員は、あまり歓迎されんのでねえ……」つまり、外来者に対する事前工作をしておくつもりらしいのである。

役場につづいてさびれた店が並んでいた。看板がでていてはっきりそれと分るのは、自転車屋、写真館、駄菓子屋、飲屋兼業の一膳飯屋《いちぜんめしや》、それに蹄鉄《ていてつ》専門の鍛冶屋《かじや》が一軒で、あと何んの店だか分らない。急に家並がとぎれて、あとはぽつぽつと農家があるだけになった。ちょうど家並がきれたところにバスの停留所があったが、校長はちらと横目でみただけで、なにも言わずに通りすぎる。たぶん学校は近いのだろう。道にそって右側に小川が流れていた。小川の上に、澱粉《でんぷん》を洗う樋《とい》が幾段にもつながってつづいていた。向うから、道を、二台の自転車がやってくるのがみえた。

Kが黙っていると、校長は狼狽《ろうばい》気味に、言葉をつづけ、「なぜか、若い連中の家出が多くてねえ……新開地で、べつに古いしきたりにしばられるというわけでもないのに、どういうわけか、しょっちゅう家出がたえません……栄えていた家がつぶれたり、跡目がいなくなって家系がたえたり……どうも、うしろで、誰かそそのかしをやってるものがおるんじゃないかと、そんな噂《うわさ》もあったりするんでねえ……」

「しかし、ずいぶん妙な言いがかりじゃないですか、ぼくとこの村の青年の家出と、いったいどういう関係があるんです？」そうは言ったものの、じつは内心、Kはこの言いがかりを不愉快には思っていなかったのである。家出にたいする共鳴が、村の青年たちとむすびつくよりどころになるように感じられ、かえって気持をひきたたせられたくらいだった。

「そういうわけじゃない、この忠告は、はじめに、誰にでもすることにしております。」

そんならなおいけない、と言うつもりだったが、トランクを持つ右手がしびれてきたので、「学校は、まだ遠いんですか？」と話をうち切ることにした。

「いや、そこの、こんもり林になってみえるとこだがね……」

指さされたところに、ポプラの林が、四角く箱のようにみえた。近いようにも見えるが、案外遠いようにも思われる。さっきから見えている二台の自転車が、もう近づいてもいいはずだのに、まだ同じところにいるように見えるのも、この道があまりまっすぐすぎて、距離感が狂ってしまうからなのだろう。

だが校長は、まだ話を終りにするつもりはなかったらしい。ぽつんと、しかしいかにも相手の気をひくような調子で、「いや、しかし、阿瀬宇然も可哀《かわい》そうな男だよ。」

Kはそれを、むかし家出そそのかしの罪で追放されたことのある、教師の名前なのだろうと想像したが、話をむしかえすのがいやだったから、返事をしなかった。

ふいに自転車が近づいた。肥料かなにかが入っていたらしい紙袋を、町にはこんでいく青年たちだった。

「いい青年たちじゃないですか。」とKが言うと、こんどは校長が黙る番だ。青年たちが、頭をさげてすれちがい、急に道がまたがらんとしてしまった。

しばらくすると校長がまた、「その阿瀬宇然というのはね……」とまだあきらめていないらしい様子なので、はっきり言うべきだと思い、相手の口をさえぎるために手をあげかけたが、聞いているとどうも話がちがうらしい。一応手をおろして待ってみることにした。

相手はほっとしたように、いくぶんせわしげに言葉をつづけて、

「あの男も、昔は村長までしたことがあるくらいでね、学問もあり、信望もあったが、あれやこれやですっかり落ちぶれてしまってなあ。考えてみれば気の毒だが、浮き沈みは世のつね、人を思うより我が身を思えというからまあとやかく言う必要もないわ

けだが、さいわい、住いだけは昔のものが立派に残っておるし、建具やつくりも、さすがにしっかりしたものだ。それに、年とった姉と二人暮しで、いまは百姓もやめておるから、まずなによりも気がねがいらん。きっとあんたにも気にいってもらえると思うんだがな……」

「なんです、ぼくの部屋の話なんですか？」

「そうだよ、なんだと思ったのかね？」

Kはちょっと笑いだしたくなった。ばかな思いすごしをしたものである。どうも今日は出はじめからすこし妙な具合だった。きっと夜汽車で寝が足りなかったせいだろう。「いや、なんだかもっと深刻な話かと思っていましたよ。」

校長は返事のかわりに、手のひらで鼻をおさえて強く左右にこすった。Kはまたすこし心配になってきた。しかしわざと快活な気持をよそおって、重みをましたトランクを肩にかつぎなおした。しばらくは二人とも黙りこんで歩く。学校はまだ遠かった。

「もっとも、深刻じゃないというわけでもないがね……」

急に言われたのでKはぎくっとした。ずっと後ろのほうからバスの音が聞えてきた。

「つまり、そのあれやこれやというのがだね、やはり、言ってみれば家出のぎせいなんでねえ……もうかれこれ三十年も昔のことになるが、宇然の兄貴に卓見というのがおったがな、それがまず姿をくらましおって、人さわがせをしたもんだが、血のつながりというのか、どういうのか、こんどは自分の一人息子の天地に逃げられてしまってな……そう、あれはまだ戦争がおわって間もないころだったが、あれ以来急にがっくり気落ちしてしまってなあ……卓見のほうはまだどこかで生きているという話もあるが、天地のほうは、どこか見ず知らずの女と心中してしまったということだよ。こういうはやりが、どういうものだか、私にはよく分らんが、まあおおむね、ろくな目にはあっとらんような気もするんだがねえ……」

バスが追いつき、追いこしていった。近くに停留所はなかった。学校は、歩くにつれて一歩一歩遠のいていくように思われた。Kは突然はげしい苛立《いらだ》ちにおそわれ、

「お話の内容はじつに愉快ですけど、そういう話のきり出し方は、じつに不愉快ですね。」

思わずそう言ってしまってから、言いすぎに気づいて、後悔したが、校長は予期していた怒りの反応はしめさず、かえって萎縮《いしゅく》したように、それっきり一言《ひとこと》も口をきかなくなった。ふいにあたりの空気が稀薄《きはく》になり、Kの呼吸がはずみだした。なにか、もう、後にひけないような感じだった。

2

学校の門のそばの松の木に、緬羊《めんよう》が一頭つないであり、それを見て校長が、「来てるな」と言った。いかにも屈託のない調子だったが、Kは信じなかった。

入口のドアの前で、ふと振向いて、「入りますか、ここで待っていますか？」それから返事もまたずに、「挨拶《あいさつ》は明日の朝、朝礼のときにまとめてしてもらえばいいのだから、今日はこのまま宿にいって、ゆっくり休んだほうがいいでしょう。ちょっと待っていてください、すぐに案内させますから……」そう言って校舎の中に消えていった。

校長はなかなか戻ってこなかった。上のほうから、一定の間隔をおいて、生徒たちのわっという喊声《かんせい》がきこえてくる。Kはしだいに戦闘的な気分になりながら、心の中で、明日の朝礼台からの挨拶の文句を考えはじめていた。

≪……世の中には、いいことと、悪いことの、二つがあるように言われています。しかし、なにがいいことで、なにが悪いことか、はじめからはっきりした区別があるわけではありません。(みんな、あわてるだろうな) 道ははじめから道だったのではなく、人が沢山そこを通るようになってから、はじめて道になるのです。だからどの道も、かならずうねうねと曲っているのです。それは道をきめることのむつかしさを物語っています。(名文句だが、どこかで読んだような気もするな)だから、諸君も歩きたいと思った方なら、道がなくても歩いていく勇気をもって下さい。やがて、そこが、本当の道になるのかもしれないのですから……≫

しかしどこからも拍手はおきなかった。家出にとりつかれているという村の若者たちから、支持の反響がおきないはずはないと思うのだが、どこかに計算の狂いがあったらしいのである。いったいどこを間違えたのだろう。疲れと腹立ちで黒くなってしまった眼の奥に、ふと直線の道のはるかな奥行きが、つきささるように浮び上った。なるほど、まがった道のたとえは、まずかったらしいな。だが本質的な失敗というわけではない。たとえがどうであろうと、おれの話は正しかったのだ……そう自分を納得させてみるのだが、いぜんとして拍手はおこらず、その本質的でない道の固さが、ますます固く、彼の確信をつきやぶり押しもどしてくる。不安な気持で、考えなおした。やはり、ありきたりの、普通の挨拶《ろうば》にしておこうか。

校長が、もう一とまわり小柄の老婆をうしろにつれて、戻ってきた。

「どうも、待たせましたね。これが宇然君の姉さんで阿瀬トクさん。」それから老婆のほうにむかって、よろしくたのみますよ、というふうなことを言い、てれかくしでもするように、声をたてて笑った。

トク婆さんは無表情にうつむいたまま、涙をぬぐった。まぶたが炎症で真赤だったから、涙もそのせいで、べつに意味はなかったのだろうと思う。校庭のほうから、オート三輪が走ってきて、門のまえで停った。トク婆さんが緬羊のつなをほどいて持ち、ふりむいて顔中で笑った。

まずトランクをのせ、その横に緬羊を追いこんだ。つぎにKと老婆が左右に並んで乗った。走りだすと、不思議に気が和《なご》みはじめた。阿瀬の家は、まだずっと奥のほうの、もうほとんど道のつきあたりに近いのだという。刈入れのおわった水田と、霜よけの藁《わら》をかぶった野菜畠《ばたけ》だけの、単調な風景がどこまでもつづいた。時々自転車がすれちがい、Kも自転車を買わなければならないなと思った。やがて正面に小高い丘がみえはじめ、石灰《いしばい》山だと、トク婆さんが教えてくれた。トラックとすれちがったとき、緬羊がおびえてあばれだした。つなをおさえるのを手伝いながら、彼はひどく陽気になり、笑いがこみあげてきてしかたがなかった。しかし、そのオート三輪の料金は、結局Kがはらわせられたのである。

3

阿瀬家は見かけはなかなかどっしりしていたが、内部のつくりはかなり旧式で、間取りも要するに横長の箱を六つに区切ったというだけのものである。入ったところが土間だから、部屋はぜんぶで五つということになるが、しかしそのぜんぶを使っているわけでもなかった。たとえば、Kは南に面した一番奥の部屋をあてがわれたが、その隣は畳をあげて緬羊小屋になっていた。このため、それからずっと、蚤《のみ》とニオイになやまされつづけることになる。

土間を入ったところに風呂桶《ふろおけ》がむきだしにおいてあった。そのくせなげしに家宝の槍《やり》などをかざってある。そういうことがいっそう荒れはてた感じをきわ立たせているのだ。しかし昔はもっとましな家だったにちがいない。彼の部屋の戸棚には、厚い見事な栗材《くり》がつかってあったりした。

顔を洗って、うがいをすると、もうべつにすることもないので、ぼんやり縁先に腰をおろしてみた。なにかひどくちぐはぐな気持で、すこしも落着かない。

裏のほうでコトコト野菜をきざむような音がしていた。隣の部屋で、緬羊が、ひしやげた声をたてて鳴きはじめた。

　ふと庭をへだてた斜め向うの物置のうしろから、羊羹《ようかん》色の詰襟を着た五十がらみの男が、上半身をのぞかせてこちらを見た。気がかりなほど生気のない顔だったが、鼻すじがとおって立派な額をしていたから、たぶんこれが阿瀬宇然なのだろうと思い、腰をあげて挨拶しようとすると、相手はあわててひっこんでしまった。立去る足音もしないので、妙に思って、男が消えたあとをしばらく眺めていると、すぐにまた顔をのぞけて、こんどはどこから持ちだしたかひどく旧式の三段式望遠鏡、というよりむしろ遠眼鏡といったほうがふさわしいような代物《しろもの》を眼にあてがって、じっとこちらをのぞきこむのだ。十メートルとはなれてはいないのに、なんておかしなことをするやつだろう、声をかけようかと思ったが、向うからは自分が一メートルほどの距離で見つめられているのだと考えると、変に気持がこわばって、そのままじっと立ちすくんでしまった。男は二、三分のぞきつづけていた。それからふっと何処《どこ》かに消えてしまった。

　急いで老婆をさがしてみたが、彼女の姿もみえなかった。肘《ひじ》まくらで横になっているうちに、いつの間にか眠ってしまっていた。

　ぞっとするような寒さで、眼をさますと、日が暮れていた。トク婆さんが食事をはこんできた。盛り切り飯のどんぶりと、大根の葉のみそ汁と、かぼちゃと芋の煮つけが、小さなアルミの盆にくっつきあって並んでいた。

開けっぱなしになっている襖《ふすま》のあいだから、さきの男が顔をのぞけて、あいさつをしてきた。やはりあれが宇然だったのである。言葉少なく、さっぱりはしていたが、いかにもいんぎんな気持のいい態度で、とても同じ人物だとは思えない。考えれば考えるほど、さきほどの奇行の意味が分らなくなってしまうのだ。しかし、気になるだけに、相手がすすんでそのことにふれようとしない以上は、強いて聞くわけにもいかず、その時はついそのままになってしまった。

4

宇然は毎朝早く、たいていKが目をさますよりまえに、どこかに出掛けてしまい、帰ってくるのはかならず暗くなってからだった。トク婆さんのほうは、Kが学校にいっている日中以外は、ほとんど家にいたが、なにをするにも猿が栗の実をむくようにこそこそする性質で、さっぱり目立たない。それにKのほうでも、阿瀬家と変な馴《な》れ合い状態になりたくなかったから、なるべくへだてをおくようにしていた。夜になりても、ひっそり静まりかえって、相手の存在をつい忘れてしまうほどである。たしかに、校長の言葉どおり、気がねのいらないという点では申し分がなかった。

ところが一週間ほどたったある放課後のことである。同僚の中で世話係のような位置にある千見という社会科の教師が、帰りかけているKのうしろにやってきて、そっと肩ごしに声をかけた。

「ちょっと、お耳に入れておきたいことがあるのです……」

顔をあげると、こちらをうかがっていた沢山の視線が、あわてて目をそらした。

「じつは、阿瀬宇然さんのことなんですけどね……」重そうな厚い眼鏡をおしあげ、ちらと校長室のドアに目をはしらせながら、せわしげに言葉をつづけ、「あの男がなにをしているか、君は知っていますか？……知らないでしょう？……ぼくら、相談して、どうしても君に知らせてあげなけりゃいけないということに決めたのです。とにかく、そりゃあ、変ってるんですからねえ……」

「どういう意味なんです？……ぼくはただ、部屋を借りているだけなんですよ。」

「そうそう、こっちだって、出しゃばりなやつだと思われるのはいやですよ。だから、つまり、なんといったらいいか……つまり、みんなで考えた結果ですねえ……」

「分りましたよ、言って下さい。しかし、御忠告に従うかどうかは、別問題ですよ。」

「それで結構、もともと忠告なんてものじゃないのだから。そんなに大げさな話じゃないんですよ。ただ、ぼくらは、事実をですねえ……」Kは思わずむっとして、校長も校長なら、教員たちも教員たちだ、これじゃ家出がはやるのも無理はない。つい語気を強めて、「だから、言ってくれと、いっているでしょう。」

千見はふと不服そうに眉《まゆ》をひそめたが、静まりかえったあたりの空気にうながされたように、誰にともなくうなずいて、「そう、言いますよ……だからあの男、あの、宇然さんはね、まずキ印だときめているんだが、毎日、どういうことをしているんだと思います？……山にのぼって、望遠鏡をのぞいているんですよ。山って、あの通りのつきあたりの、石灰山のことですけどね。中腹に、一つ洞穴がありましてね、昔、石灰をほりだしていたころの小屋掛の跡だとか、道路工事のときの測量場所だったとかいわれていますけどね、その前に坐《すわ》りこんで、朝から晩まで、こう、望遠鏡でのぞいているんですよ。ちょうど道からまっすぐのところなので、ずうっと見とおせるらしいんですね。」

「なるほど……」

「変っているでしょう……それも、いっぺんのぞきだしたら、もう絶対に眼からはなさないっていうくらいで、実に病的なんだな。原因は、天地とかいう息子さんの家出からしいが、どういうもんでしょうかねえ。」

「さあ……ぼくには、案外単純な話に思われるがなあ。」

「むろんそうですよ。実にナンセンスな話です。」

「しかし、なかなか面白いところもありますね。人間の心のある部分を象徴してるじゃないですか。」Kは鞄《かばん》をもち、一歩ふみだすかまえで、千見の背広の襟のあたりをじっと見すえながら、「その宇然さんの話もなかなか教訓的でしたけど、それをぼくに話したいと思った君たちの心理も、同じくらいに教訓的でしたよ。」

「待って下さい、なにか誤解してるんじゃないですか！」

「とにかくぼくには、他人のことをほじくってよろこぶ趣味なんかありませんからねえ。」

「そら、誤解している！」歩きだしたKによりすがるようにしながら、「こっちは、なにも他人のことをほじくって、君をよろこばせようなどとしたんじゃない。反対に、君がほじくられて、いやな目をみるようなことがあっちゃいけないと……」

「ぼくが宇然さんの望遠鏡で、ほじくられるとでもいうんですか？　馬鹿馬鹿《ばかばか》しい。」

「や、馬鹿馬鹿しいと思ってもらえば、それでいいんだ。我々もそれを望んでいたんですからね。」

「……」

外に出て、生徒たちの大げさな挨拶にぼんやり応《こた》えながら、思わず舌打ちがでた。二重の意味でいまいましかった。まず第一に、今後こういう同僚たちとつき合っていかなければならないのだということ、第二に、いまからもう彼らと感情のもつれをつくるような羽目におちいってしまったということが……しかし一方、宇然のことだけそれだけにほとんど念頭になかったと言ってもよい。なるほど変った話だという印象はあった。しかしあくまでも自分とは直接関係のない、ガラス箱の中の珍しい標本にしかすぎなかった。

ところが、歩いているうちに、ふと自分が正面を向けないでいることに気づいたのである。一度、意識すると、その気がかりなものは急速にひろがりはじめた。自分を見ているかもしれない宇然、その宇然に見られているのかもしれない自分——そんなふうに考えてみると、まるで体の内側がつっぱってぶつかり合うような、奇妙なぎこちなさに、おそわれてくるのだ。

そのしめつけられるような感覚は、一日一日と強くなっていった。

半月ほどした、ある土曜日の午後のことである。冷たい風のふくよく晴れた日だったが、Kは石灰山の中腹で、なにかきらっと光るものを見た。宇然の遠眼鏡が光ったのだろう、するととつぜんたまらなくなってきて、明日はどうしても宇然について山にのぼり、いっしょに遠眼鏡をのぞかせてもらおうと決心した。自分の目でたしかめさえすれば、そのこだわりからも、のがれられるだろうと思ったのである。

5

夕食のあと、思いきって宇然と婆《ばあ》さんのいる部屋をたずねてみた。彼らの居間は、北側の部屋二つをとおりぬけた、土間の隣である。何かひそひそ話をしていたが、Kの足音をききつけると、ぴたりとやめた。赤っぽい十燭光《しょっこう》くらいの光の下で、宇然はせっせと遠眼鏡をみがいており、その横でトク婆さんはぼろ布を火鉢にかざして、黒い膏薬《こうやく》をしみこませていた。うたがわしげにKを見たまま、しばらくは二人とも口をきかない。ふとKの視線が宇然の膝元《ひざもと》にころがっていた小さな鏡と呼子の上におちると、トク婆さんはあわててその上にぼろ布をおいて隠した。つい気おくれしながらも、明日いっしょに山へ眼鏡をのぞきにつれていってほしいと頼んでみると、宇然は顔をほころばせながらも照れくさそうに頭の上に手をやって、同意を求めるふうに婆さんのほうを振りむいた。

「つまらんことを、」とトク婆さんは目をふせたまま誰に言うともなく力ない声で呟《つぶや》いた。「馬鹿な年寄のなぐさみごとじゃ……。」

「そんなことはない」とKの言葉に思わず力が入り、「なかなか興味がありますよ。すくなくも私には興味がありますね。私なんかも、はじめてみたら、やめられなくなるんじゃないかと思うくらいだな。」

トク婆さんが、短く小声で笑って、宇然を見た。宇然もあわせて笑ったが、その声はなんとなく弁解じみていた。

Kはそれを、無責任な好奇心にたいする警戒なのだと解釈し、するとよけいに後にひけなくなって、「じゃ、たのみますよ。」とわざと快活な調子で一方的におしつけると、返事も待たずに引きあげてきてしまった。

しかし、翌朝になってみると、その約束もすこし馬鹿らしく思われてきた。それに、その朝は初霜がおり、とくべつ寒かったせいかつい寝すごして、目をさましたときはもう宇然が出掛けてしまったあとだった。隣の部屋の緬羊《めんよう》の足踏みを聞きながら、いつのまにかまたうとうとと眠ってしまう。次に目をさましたのは、もうかなりおそくなってからだった。緬羊の足音は聞えず、トク婆さんも出掛けてしまったらしい。彼女は外出のさい、かならず緬羊を犬のようにひっぱって歩く習慣だから、緬羊がいないということは婆さんがいないということだ。襖の外に冷えた朝飯がおいてあった。すっかり気抜けがしてしまっていたが、とにかく気休めなのだからと自分に言いきかせて、一応は行ってみることにした。川をわたって、熊笹《くまざさ》のやぶをこえると、頭から毛布をかぶり、遠眼鏡をかかえている宇然の姿が見えた。もろい地肌をはいあがると、中腹の切りとられた壁面にそって、洞穴に通ずる道がある。声をかけてみたが軽く手をあげてこたえるだけで眼鏡から眼をはなそうともしない。それを見てると、なんだかおかしくなってきた。

「どうです？」とわきに並んで腰をおろす。

「ちょっと待ってな……」といくぶん狼狽《ろうばい》気味に、かすれた声でKを制し、ますます遠眼鏡にしがみつく様子である。Kは憮然《ぶぜん》とした気持であたりを見まわした。すぐ後ろに洞穴があった。中は暗くてよく見えないが、高さはこごめばやっと通れるほどで、そう深くもなさそうだ。白い道がまっすぐほとんど地平線までとどいていた。その端にぽつんと黒く点になってみえるのが、村の入口の橋なのだろう。

「あの橋まで、どのくらいあるのかな？」

「三里半だね。」

その前に、学校の林が、やはり小さな箱のように見えた。いまそのわきをのろのろ動いているのはバスにちがいない。

「見せてもらえるんですか？」

「あ、ちょっと待ってな……」

ふと熊笹の中からざわざわという音を聞いた。

「なんだろう、風もないのに……？」

「急に霜がおりたもんで、サナギになりそこねた毛虫どもが、死んで落ちとるんだね。」

ほっと息をして、力いっぱい両手をこすり合せながら、

「もっと寒いと、こうしているのも、大変だなあ。」

「なあに、懐炉《かいろ》をしこむだで……手袋には唐辛子をつめるし……でも、一日坐《すわ》ってると、あっちこっちに凍傷で、皮がむけるなあ……」

かなりたってから、宇然がとつぜん思いだしたように言った。

「さ、先生、見たいんなら、早くしてな……」

あわてて、考える暇もなく、受取って眼にあてた。重くて、冷たかった。

「あまりくっつけると、眼とレンズのあいだに、霜がふるよ。」

白い空間が、輝きながら、はげしく廻転した。なにか見えたかと思うと、くるっと

まわって、消えてしまう。ふいに、斜《はす》かいに傾いた天井の下を、倒立して駈《か》けていく少女の赤い後ろ姿がみえた。

「おや、これは、逆さに見えるんだな?!」

「さよう、天体用だからな。この式の地上用じゃ、五倍以上には見えません。たった五倍じゃ、奴等《やつら》の思うつぼだで。近頃のやつら、ちぢまるのがうまいからなあ。いや、そうはまいらぬ、そうはまいらぬ……」

馴《な》れてくると、次第に、見たいと思う目標を固定することができるようになった。熊笹の間から倒立したバスの停留所が、手をのばせばとどくほどの距離に見えている。そこに待っている倒立した男の顔があまりそばにあるので、思わず身を引こうとしたくらいだった。すぐ向うに阿瀬の家が見えた。入口の松の木の葉の一本一本が区別できるほどである。道にそって向うに焦点を合わせていくと、籠《かご》をしょってくる倒立した百姓が見えてきた。口の中に指をつっこんで、顔をしかめながらしきりに奥歯のあたりをおしている。知らずに見られているなんて、ずいぶん残酷だと思った。それから、道が走って、急に大きな建物のところにやってきた。どこだろう? ポプラがあって、門があって、松があって……なんだ、もう学校じゃないか。ずいぶん距離がちぢんで、短くみえるんだな。倒立した自転車……倒立した子供……倒立した荷車……

おやもう役場と橋……橋はさすがに小さかったが、それでもちゃんと手すりの見分けがつく。役場から倒立した誰かが出てきて、門のわきにゴミを捨て、すぐにまた戻っていった。ゴミから白い煙があがったところをみると、どうやら石炭殻らしい。役場ではもうストーブをたいているのだろうか！……ぐるっとまわって白い空間がきらめいた。急いで戻そうとしたが、なかなか焦点がきまらない。倒立した自転車……倒立した子供……倒立した自転車……倒立した荷車……

「先生、もう、よしたほうがいいよ。あんまりながく見とると、眉間《みけん》に釘《くぎ》ぶちこんだみたいに痛んで、歩けんようになるからな……おれなど、もうかれこれ八年もやってるが、いまでも帰るころには顔中がきりきりして、足がふらつく……眼鏡の中は、いつもゆれどおしだから、船酔と同じことだでな。はじめたころは、何時間も吐きつづけたりして、そりゃむごいものだったわ……先生、もうよしたほうがいい、頭が痛かろうが、え……」

6

冬は急にやってきた。新しい季節にはどことなく旅行者のおもむきがあるものだが、この冬はずっと前から待ちぶせていた伏兵でもあるように、荒々しく攻撃的だった。その日、初雪がふったが、気温はもう零下五度をさしており、初雪らしいあの重さもねばりもなく、ガラスの粉のように白く乾ききっていた。

昼食後、Kはストーブのまわりにかたまっている同僚たちから離れ、窓のくもりをふきとって外を見た。雪はかすかにしか降っていなかったが、それでも白い膜のように全視野をおおっている。

風がふくと、さらさらと捲《ま》き上って、下の地表があらわれた。ふと、まっ白な風景の中に、黒い影が一本定規でひいたように浮び上った。網膜にのこった窓枠の残像にすぎなかったのだが、彼にはそれが直線道路の亡霊のように思われ、思わずはっと息を飲むほど驚かされた。早く雪がつもって、道を消してしまえばいいと思った。

「Kさん。」と声をかけるものがあり、振向くとまた千見である。「最近、どうかしたんじゃないですか？　どうも様子が変ですねえ……」

「変ですよ。おかげさまでね。」

「それはまた、どういう意味です？」

「だって、君たちの計画だったんでしょう。」

千見は唇をふるわせ、みるみる老人くさい顔になった。

「しかし……よく、分りませんが……もっとはっきり言ってもらわないと……？」

「はっきり言いますとね、君たちの有難い忠告のおかげで、ぼくは見事なくらいに神経病にかかってしまいましたよ。どうにも気になって仕方がないもんだから、先々週の日曜日だったか、とにかく山にのぼって望遠鏡をのぞかせてもらったんだ。よく見えましたよ、とっても面白かったですよ。ところが、効果てきめん、気がすむどころか、完全にいかれちゃったな。おかげさまで、猛烈な神経衰弱です。満足でしょう。」

「でも、わたしらは、逆に君のためを思って……」

「冗談じゃない。知らなきゃ、なんでもなかったはずなんだ！」

思わず息込んでいうと、声がすこし高すぎたのか、ストーブのまわりのお喋《しゃべ》りがぴたりとやんだ。静まりかえった中で、誰かの咳《せき》が、異様にひびいた。

「言いがかりですよ。ひどい誤解です。」と千見はうろたえ気味に、Kの服の肘《ひじ》をつかんでひっぱりながら、「とにかく君と、もっとよく話し合いたいですね。」

「さあ？……たかだか神経衰弱くらい、そんなに大げさにしなくってもいいでしょう。」

「しかし、このままじゃ、まんまと校長の計略にひっかかってしまったことになる。」

「馬鹿《ばか》な……校長の計略だとかなんとか、それじゃまるで君のほうが神経衰弱じゃないか。要するに退屈なんだな、ぼくは……」

「弱った……やはり信じてもらえないんですか。もっとも、ぼくらの言い方もわるかったな。君のことを、もっと気骨のある人だろうなんて、自分たちの都合のいいように誤解したりして……」

「わけの分らない人たちだ、ぜんたい今度は、どういうワナにかけるつもりなんです？」

「ワナだなんて、人聞きのわるい。ただ君が、宇然さんがスパイだってことを知っただけで、それほど参ってしまうだなんて……」

「スパイ……？」

「なんだ、知らなかったんですか?!……じゃ、なんだってまた神経衰弱なんかにかかったんです？」

Kは黙ったまま、びっくりしたように千見を見すえた。

「信じられんけど……」と千見は服のボタンをいじりながら、「でも、それじゃ話がくいちがうのが当りまえだな。どうも妙なことになってしまいましたねえ……つまり……ぼくらは、君が後になって急に知ってショックをうけるようでは困る、君が戦術をたてる上でつまらぬまわり道をしては困ると……」

「戦術って……？」

「Kさん、ぼくらをだましているんじゃないでしょうね？　いや、だましたっていいですよ。ぼくらにはなにも要求する権利はないんだから……でも、とにかく、ぼくらの考えていることとして聞いてくれませんか。こんなふうに話がくいちがってしまった以上、このままにしておくわけにもいきませんし……その戦術ってのは、むろん君が校長をやっつける計画のことです。ぼくらはみんな、君がなぜこんな田舎に転任になったのか、よく知っていますよ。君は前の学校で、校長と喧嘩《けんか》したんでしょう。君の噂《うわさ》を聞いたときから、ぼくらはたのしみにしていたんだ。」

「改革者だとでも思ったんですか？」

「そう……ま、聞いて下さい、誤解をこのままにしておくわけにはいきませんから……そしてとうとうその待ちうけていた君がやってきた。するとその日、校長はさっそく君に挑戦しましたね。」

「家出の話をちょっとしただけですよ。」

「しかし君はあっさりとは降伏しなかった。そのことは、翌日の校長の顔つきですぐ分りました。われわれが内心どんなにか喝采《かっさい》していたことか……それから、君は予定どおり阿瀬の家に紹介された。あの家に入れられるということが、どういうことを意味しているか、分りますか？　あそこはめったに使われないんですよ。校長が、気にくわない面倒な人物だと思ったときにだけ、あそこを世話するんです。そして、今までの例だと、あそこで半年以上もちこたえた人はいませんね。宇然がスパイだと気がついたとたん、いたたまらなくなっちゃうらしいんだ。」

「そういうとき、君たちは黙って見すごしていたんですか？」

「そのほうがいいと思っていたんですよ。気にするほどのものじゃない、意味のないものだというふうにしてね……しかし、どうもそれじゃ具合悪いらしいことが分った。それに君は校長と喧嘩して出てきたほどの人だ。こんどこそはというので、やり方もかえて、事前に宇然の正態をお知らせすることにしたわけだったのです。」

「喧嘩だなんて、そう大げさに言われちゃ困るな。ほんの、個人的な問題だったのですから……でも、そこまで分っていて、なぜ君たち自身が改革しようとしないんです？」

「改革？……何を……？」

「だって、いままで君は、その話をしていたんでしょう？」

「いや、べつに改革したいと言ってるわけじゃない。われわれはただ、君に期待をかけていただけで……」

「だから、どういう期待なんです？」

「でも、もうどうぞ、気にしないでください。結局どうもこちらの誤解だったらしいんだから。しかし、本当にすまないことをしましたね。われわれはむろん、君の気がすむように援助するつもりです。たとえば、ほかの部屋をさがすとか、一時、誰かのところに同居させてもらうとか……」

「いや、多分もう大丈夫ですよ。あの宇然という男が単なるスパイだというのなら、ぼくが神経衰弱にかかる理由はもうないのだから……」

千見はいつか無意識のうちに、浮き上った窓枠のペンキを、爪先《つまさき》ではがしつづけていたが、ふとその手をやすめ、期待の表情をかくそうともせず、「すると……でも、なんだって神経衰弱なんかに……？」

「心理的なものですね。」Kは千見にかわって、指先で窓の水滴をいじりながら、ちょっと照れくさそうに笑った。「つまり、ぼくは君たちも校長も同じ穴のむじなだと思っていたから……宇然についてのことも……ただ人をおとし入れてたのしむ、いやしい根性から出たものだと考えたから……来たばっかりのときでもあったし、すっかり厭世《えんせい》的になっていたのです。そんな気持であの男を見てると、それがまるで人間の不安や、悲しみや、おびえを象徴しているみたいでねえ……もちろん、自分じゃ大して気にしているつもりはなかった。ところがある日、道端で子供が歌っていたんですよ。〈行きはよいよい、帰りはこわい〉っていうあの唄《うた》ね。それを聞いたとたん自分のことを言われているのかと思って、思わず大声でどなりつけてしまった。それで翌朝、校長から呼ばれて理由をきかれましてね、はっと気づいたわけなんです、こいつはどうやら、本物の神経病だぞってね……しかし。」とふと語調をかえて、「あのとき、ぼくは子供の母親が告げ口したんだろうとばかり思っていたが、するとあれも……」

「そうですよ、むろん宇然が望遠鏡で見ていたんですよ。」

「なるほどなあ……それじゃ孤独も絶望もありやしない、おそろしく現実的な話になってくる。」

「現実的ですとも。そんな哲学的な問題なんかじゃありはしません。するとぼくら、やはり期待をすてないでもいいのかな？」

「しかし、ちょっと待ってください。君はせんだって、あの男のことを気ちがいだと言いましたね。気ちがいにどうしてスパイができます？　気ちがいというものは、それほど功利的になれるはずがない。」

「いや、ありますよ。あいつは猜疑心《さいぎしん》のこり固まりなんです。そういう種類の気ちがいなんですよ。それに、あの男の姉というのがいるでしょう。あれが参謀兼伝令係になってついていますからね。」

Ｋが傾《かし》げた首を前後にふりながら率直な吐息をもらすと、千見もずらした眼鏡の下から指をつっこんで目やにをふいたりして、いかにも安心した顔つきになり、

「まあ、少しはね。でも、わたしらはとにかく君に期待していたんですから……しかし、こんなところにあまりながくいて、寒くありませんか。吹雪いてきたようですね。」

「いや。わたしは平気ですが……」とガラスのくもりを指先でぬぐい、黒くついた指の煤《すす》を窓枠にこすりつけながら、

「つまりすると、君たちがねらっているというのも、具体的には、あの婆《ばあ》さんだというわけだな。」

「とんでもない！」ひどく狼狽《ろうばい》した声で、

「誰がそんなことを言いました？　われわれはただ君に期待しただけで……」

Ｋの顔がまた神経質にひきつってくる。「期待してもらっているということは、もうよく分りましたよ。だから今度はどうか、もっと具体的な話を聞かせてもらいたい。たとえば校長が宇然のスパイを利用しており、村民がそれに不満をいだいているとか……」

「いや、むしろ支持をうけているくらいなんですね……とにかくああして、家出人を監視してくれているんだし、校長の表現をかりれば、そのほか防犯防火に役にたち、子供の遊びを見張って教育に貢献し、まさに一石三鳥のというわけで……」

「しかしそれだけに、反対勢力もあるわけでしょう。」

「ところが、村民だって、泥棒はわが家のうちにおり、子供は物陰で悪さをするくらいのことは、ちゃんと知っていますからね。家出のことだってそうです。農村じゃ、どこだって、青年たちの出たり戻ったりは、あたりまえのことなんですよ。どこの戸主だって、農閑期になれば一人でも口べらしをしたいし、農繁期になれば猫の手もかりたい。だから家出についての考えだって、そのときの風のふきまわしで、どうにでもなるのです。ただ家出禍を大げさに言っておくと、便利だということはありますね。息子を追い出した親も、息子を家にしばりつけてこきつかう親も、同時に自分を合理化することができるわけだ。だから反対派といっても、ちょっとした気分上の問題にすぎず、現にせんだって戻ってきた家出青年なども、反対するものがなさすぎて退屈したのが家出の理由だなどと言っていたくらいでね……」

「分らないな。それでは宇然の役割も意味がないことになってしまう。スパイといったって、実質的には、なんの役割もしないわけでしょう。」

「そういうことですね。しかし、家出監視人という役割も、結局は名目にすぎず、本当はその裏があるわけです。君は、あの、宇然の鏡と呼子を見たことがありますか？」

「鏡と呼子？」……ああ、婆さんがあわてて隠したあれにちがいない。

「そういえば、一度だけね。」

「まあ、あれが本職でしょうね。やつの商売の看板ですよ。あれで婆さんに山から合図を送るんです。晴れた日には鏡の反射で、曇った日には呼子の音で……だから婆さん、晴れた日以外には絶対に外出しません。家にいて、呼子の音を待っていなければなりませんからね。普通便の情報はその日の夜にまとめればいいが、速達情報はその場でキャッチしなければ価値がないというわけです……つまり、要するに、情報屋なんですよ。誰の家で今日は何俵脱穀したとか、試験所前から三時のバスで誰がどこに行ったとか、誰と誰が一緒に歩いていたとか、巡査が誰の家に何時間上りこんでいたとか……それで結構、百姓の中にはこの宇然情報のほうを、新聞ラジオよりも有難がっているやつがいるんだから。とにかく速達情報のほうは、特別会員制度みたいになっていて、大変な人気らしいですよ。婆さんは、その情報に応じて適宜、金品をもらい、それがもう相当なたくわえになっているということです。」

「分りましたよ。」Kの声は苛立《いらだ》ちですこしふるえた。「つまりその情報を利用して、校長なりなんなりが、強迫がましいことでもするというのですね。」

「まさか、どうしてそんな馬鹿なことを……」

「それじゃ、一体、ぼくに何をしろっていうんです。」

「まあ、待って下さい。水を説明するにはどうしてもHとOの説明をしなければならない。しかし、いくらHとOの説明をしても、水の説明をしたことにはならない。」

「それで？」

「つまりですね、実質的な面からみれば、家出監視人というのは宇然の名目上の役割にしかすぎません。内容は単なる情報屋というわけです。しかしこれをいったん思想問題としてとらえなおしてみると、たちまちこの関係が逆転し、名目であったものが、やはり本質になって現われてくるのです。わたしらが校長を問題にしたり、また君に大きな期待をかけたりしたのも、当然この本質を問題にしたからにほかなりません。結論的にいえば、やはり思想としての家出ということが、わたしらの問題になってくるわけです。」

「そうですか。ぼくには一向、なんのことだか分りませんがねえ。」

「分りませんか？　弱ったなあ……つまりこの村には、一種の思想的な病気がはびこっているんですよ。極端な猜疑心といってもいいですね。宇然の速達情報の売れ行きがいいというのだって、べつにその内容に価値があるというのではないらしい。現にいつだったかも、モールス信号を読める人があの宇然のピカピカを見ましてね、ぜんぜんでたらめみたいだと言っていましたよ。宇然情報というやつだって、つまりは猜疑亡者《もうじゃ》の餌《えさ》にすぎないんじゃないですか。校長は、亡者どものこういった心理を、家出という表現で、ぴたりと集約したんだと思うな。やはり、ちょっとした政治センスだと思いますよ。」

「よろしい、ちょっと待って下さい！」Kははげしく千見のほうへ向きなおると、顎《あご》をむりに押しつけられているようなこわばった声で、「はっきり言っておきますけどね、これ以上こんなウナギ問答をくりかえすんなら、ぼくはもう聞きませんからね。昼休みがそっくりつぶされちゃったじゃないか！」

千見はおどろいたように目をふせ、弱々しいつくり笑をうかべた。

「すみません……しかし、そうでしょうか、単なるウナギ問答だったでしょうか……」

「だって、実害があるような具体的な問題は、なにもないんでしょう。」

「そうです。しかしその問題がないというところに……」

「駄目、そういう言い方はもう沢山!」

「待ってくださいよ、もう一言《ひとこと》だけ。やっと結論に入ったばかりなんだから……つまり、なぜ問題がおこらないかという理由ですがね、その問題がおこらないというところが、わたしらの問題なんですけど、それはこの村が、一つは家出亡国論という校長の思想、もう一つは阿瀬字然という家出監視人、いま一つは猜疑亡者の底なしの胃袋という、実にうまくバランスのとれた三つの要素で、きっちり三角形の中にとじこめられてしまっているということだと思うんです。なんともうまく出来た防波堤なんだな。どんな風が吹いても決して波がたたない。それがわたしらには絶望的にやりきれないことなんです。どうでしょう、これでなんとか分ってもらえたでしょうか?」

「しかし、簡単じゃないですか。その三角形の一辺をこわして、バランスを破ればいいんでしょう? だいたい家出禍なんてことがもともと実在しないことなんだから、その事実でおして校長の理論をぶちこわせばいい。」

「だめなんですよ、それが……この三角形自身がはじめからまったく虚妄《きよもう》なものにすぎないわけでしょう。事実でないことの指摘だけでは、どうにも対抗しきれません。それみたことか、この三角形のおかげだ、というふうにやり返されるだけの話です。」

「それでは、反対に、こっちから家出肯定論の攻勢にでればいい……」はじめは激しい口調で言いだしたのだが、ふと弱々しく言いしぶった。この村にやって来た最初の日、校長との言い合いのあとで空想した、朝礼台でのあの架空演説をふと思い出したからである。空想の中ですら、拍手はおきなかった。いまも当然拍手はおきるはずがない……

ところが千見は深くうなずいて、真面目《まじめ》に賛意を示したのである。「そのとおり、わたしらも、まったくその意見なんです。」

Kは、とりかえしのつかないところへ迷いこんだような、不安を感じた。いくぶんあせりぎみに、おしのけるように言った。「そんなによく分っているのなら、君たち自身で、そうやってみたらいいじゃないですか。」

「駄目ですよ、われわれには……」千見は自嘲《じちょう》的に唇をゆがめ、眼鏡ごしにじっとKをみた。その自嘲の中に、Kもいっしょに引きずり込んでしまうように。「われわれはもう、あんまり知りすぎてしまいましたからね。家出に本当の価値をみとめ、それを心から宣伝することなんか、とてもできやしない。このごろじゃ、いわゆる進歩的な教員たちのあいだでも、家出否定論の傾向が強いらしいですよ。ま、そんなこと、どうでもいい、……さりとて、確信なしに宣伝主張するには、亡者の魔力を知りすぎているというわけで……だから、君にも、こんなふうに全部を説明してしまうことは、したくなかったんです。うまくやってもらえるかもしれないと、身勝手な期待をしてかえって誤解をふかめすべてを説明しなければならない羽目におちいって……気がついたら、君までもう駄目にしてしまっていて……どうもぼくは不器用なんだな。」

立場の逆転に、Kはうろたえた。すがりつくように、「どうしてぼくが駄目なんです？」

「だって君、君は家出の意義を信じることができるんですか？」

「出来るかもしれませんよ。現に信じているかもしれない。」

千見は鼻先を軽くゆっくりと撫《な》でながら、しばらく黙っていた。「……でも、わたしらだって、ただ手をこまねいて見ているわけじゃない。たとえば同僚をたずねるときは、なるべく月のない暗い夜をえらび、親しいもの同志でも、つれだっては歩かず……むろんこんなことは、なんの役にも立たないことだけど、また知られたってべつに困りもしないけど、すくなくも相手を不安がらせることにはなりますからね……だから君も、そんなふうにするだけでもいいんですよ。」

昼休みの終了をつげるベルが鳴った。ストーブにかたまっていた教員たちが、うんざりした足どりでめいめいの机に帰ってきた。Kは急に吸取紙をなめたように口が乾いた。

「でもぼくは、じっさいにそういう思想をもっているような気がするんですがねえ……」

「否定はしませんよ。」千見は人の好《よ》さそうな笑声をつくって、すばやくあたりを見まわし、立ち去りぎわにKの腕を軽くおした。

7

なにかきっかけをつくらなければいけない……いっそ一と思いに……とは言ってみたものの、そう言葉にしてみるだけで、何をどうするのか、べつにはっきりとした当てがあるわけでもない。とにかく、三角形をこわすのだ。青年の家出運動を組織して、三角形を破壊するのだ。三角形……三角形……三角形の内角の和は二直角……おや、いったいおれは何を考えているのだろう？……なにを考えているわけでもない、ただ疲れた頭をかかえこみ、ぼんやり坐りこんでいるだけだ。さて、なにか名案はないものかな？……家出の心理、家出の理論、家出の理論家……家出の研究家K先生をかこむ座談会〈農村における家出の道徳的意義について〉……うるさいな、緬羊《めんよう》のやつ！……しかし組織がなければどうにもならん。青年家出運動本部か……いや、青年家出協会のほうがいいかな？　まてよ、家出相談所はどうだろう？……やれやれ、疲れた、じっさい妙なところに迷いこんでしまったもんだなあ……ビラを刷ってまいてやるか、おどろくだろうな。どうせ向うが虚妄の三角なら、ついでにこちらも虚妄の……

Kはしめっぽい氷のようなふとんをおしのけると、急いで起上った。歯がかちかち鳴りだした。夜着のうえから外套《がいとう》をひっかけ襖《ふすま》を開けて奥をのぞくと、まだ向うも起きているらしく、細い光がもれている。

近づきながら、「阿瀬さん」と声をかけたが、返事はない。かまわずに、「もう寝ましたか。」と勝手に襖をおしあけ、見るとトク婆さんがじっとこちらをにらんでいた。

しかし気持のきまったKはすこしもたじろがぬ。まるで日課の事務報告でもするような淡々とした調子で、こう言ったものである。

「どうも緬羊が臭くて、うるさくて、睡られんな。明日さっそく、どこかほかに移してください……それから、この村の家出をもっと盛んにするために、家出相談所ってのをぼくの部屋に開設しますからね、そのうち表に看板をかけさせてもらいますよ。」

眠っていたはずの、宇然の瞼《まぶた》が、ぶるぶるふるえはじめた。だがそれよりも驚かされたのは、トク婆さんの口である。下唇がめくれたかと思うと、カッッと音がして、下顎が三センチも前に飛出してきた。Kは思わず叫びだしそうになった。しかし驚くことはない、入歯なのだ。落ちつきはらって襖をしめ、たしかな足取りで部屋にもどってくる。

これでよし、あとは放っておいても、うまくいく……あの婆さんのすごい口から、飛び出すぞ。〈家出〉〈家出〉〈家出〉〈家出〉黒い翼をはやしたこうもりども……ひらひら、村中をとんで歩くのだ……〈家出〉〈家出〉出てくるわ、出てくるわ……無数のこうもりが村をおそい、昼なおくらき様相を呈したのである。うんぬん……

8

翌日は、朝から、どうも妙な天気具合だった。厚い雲が全天を覆《おお》ったかと思うと、みるまにばらばらにちぎれて、吹き飛んだ。小さな雲が一とかけら、と思っているうちに、そいつが空いっぱいにふくらんでしまうのだ。なんだか空全体が、ふるわれているよごれた敷布みたいだった。

こんな日は、いつもならトク婆《ばあ》さんは、極めて慎重である。だいたい、大した情報なんてありはしないのだから、慎重にかまえて値打をつけたほうが得なのである。しかし、今日は、そうはいかない。口の中が、いや腹の中までが、無数のこうもりで一杯になっているのだ。このままじっとしていたりしたらその圧力でそれこそ粉々に砕けてしまうだろう。どうしても、外に出て、飛ばしてやらなければならないのである。

時間がいくらかながもちしそうにみえた。トク婆さんは急がなければならないのに緬羊をつれていくべきかおいていくべきか、どうしてもきめかねて身をさかれるような苦しみにおちいった。またいつ曇るかもしれず、こういう日にこそ真に価値ある速報があるかもしれないのだから、呼子の聞えるところまで飛んで帰らなければならず、仮にそんなものはありえないとしても帰らなくては信用を失うわけで、行動の迅速という点では当然おいていくべきなのであるが、しかしそれではつれて歩けばもらえるはずの餌《えさ》をみすみす捨ててしまうことになる。だが結局実利をとって、つれていくことにした。

まずよるとかならず氷砂糖と二十円をつつんでくれる精米所の主人のところに行ってこう言った。

「あの、こんど来たK先生なあ、ありゃ悪いやつだぞお。家出をしょうれいするのに、相談所をもうけるなぞとほざいとる。」ついでにつけ加えておいた。「女子もあつかうらしいよ……」これで雄雌二匹がそろったわけだ。さぞかしよく繁殖することだろう。つぎに郵便局に行って、中学を呼び出し、校長に電話した。こうすれば一度に十粒も種がまける。

郵便局を出て、しばらく行くと、自転車に乗った助役と出会った。「そりゃ恐ろしいことだ。」と唇をひきしめ、走り出すまえにこう言うのを忘れなかった。「ちょうど干しイカがついたところだから、帰りにすこし持ってくといいよ。」

あちらこちらに寄り道しながら、二台のバスに追いぬかれ、骸骨《がいこつ》の手のように枯れはてた学校のポプラの林の近くまでやってきたとき、太陽のそばにあった一とかたまりの雲の輪廓が急ににじみだし、時速六十キロの速度で雪野原の上を黒い影が突進しはじめた。キラ、キラ、と宇然の信号を耳のへりに感じて振向くと同時に、影が斜めに石灰山をつつんで、もう何も見えなくなってしまった。影はそのまま走りつづけ、すぐに婆さんを陰らせ、緬羊も陰らせ、村全体を飲込んでしまう。

婆さんはあわてて駈《か》けもどろうと、力いっぱい緬羊の綱をひいた。緬羊はなぜか婆さんにさからい、道を横切って小川のほうに出ようとした。そこに後ろから大型トラックが走ってきて、緬羊がそのまえで立ちすくんだ。運転手が窓から腕をふりあげてどなったので、婆さんは緬羊にかけよった。緬羊は走り、運転手はブレーキをかけたが、婆さんは二メートルも高くはねとばされて、落ちると同時に二つに折れて死んだ。入れ歯といっしょに、血が少々こぼれていた。

小川の向う側で、ねばらない雪でむりに雪だるまをこしらえようと苦心していた子供が二人、この有様を見ていた。「死んだか？」と運転手に叫んできき、運転手がうなずくと、急いで学校のほうへ駈け去った。

校長がKを呼んで言った。

「君、阿瀬トクさんが、亡《な》くなったよ。つい今しがた、この近くでトラックにはねられたらしい。」

校長の小さなまるい眼は、Kの顔にまっすぐ向けられているのに、すこしもKの顔を見ていない。彼はすぐに、校長がもうあのこうものことを、知ってしまっているのだと気づいた。しかし、べつに彼を批難しているふうでもない。むしろ、非常に親しいもの同志がみせる、無関心に似ていた。

「帰ってみましょうか？」

「いや、もうどこかから、親類が来てるところだろう。」

「親類がいるんですか？　誰も訪ねてきたのをみたことがないけど……」

「死ねば出てくるよ……君、今日の夕食、困るんだろう？　なんだったら、うちに来ませんか。」

「いや、自分のことは自分で始末します。」

「せっかくいいところだと思って紹介したんだが、気の毒なことをしました。」

しかしなんにも思っていないことはたしかだった。寝すごしたあとのように、完全に放心した表情をしていた。

「宇然さんは、やはり、見ていたんでしょうね。」

「そうだね。」

と校長ははじめてはっきりとKを見つめ、ちょっと不愉快そうに眉《まゆ》をくもらせた。

9

Kはすこし早目に帰ってみた。すでに親類が三人来ていた。むりやり連れ戻された宇然が、逃げないようにしっかり腕をつかまえられたまま、遠眼鏡で姉の死骸《しがい》をのそいていた。しかし結局は逃げ去った。Kは無視され、むろんすることはなにもなかった。

〈こうもりはうまく飛び去ったのだろうか？　それとも、この新しい椿事《ちんじ》で、〈家出〉

こうもりのことなど、もう問題でなくなったのだろうか？）

二日目、親類が五人に増えていた。

（同僚たちは、明らかに何事かを期待している。Kも、なにかが起りそうに思う。しかし何がおこるかは分らない。）

三日目、親類は九人に増えてしまった。そのうち五人が女である。手伝いに来ていた近所の人もおどろいて引揚げてしまった。しかしこの連中はなにもせずただうろうろと家の中を彷徨《ほうこう》するだけだ。その夜おそくなって、またどこからともなく二人あらわれ合計十一人になった。

葬式も終ってしまったというのに、減るどころか、増える一方というのはどういうわけなのだろう？

（なんの兆候もない。家出人のうわさも聞かないし、家出の相談をもちかけてくるものもいない。こうもりはうまく飛ばなかったのだろうか。）

四日目、帰ってみると親類の数は二十人近くになっており、襖はすべてとりはらわれ、緬羊は外にほうり出され、Kの部屋も占領されてしまっている。一応抗議はしてみたが、こうなっては埒《らち》のあくはずもない。隅のほうへ押しやられて、雑魚寝《ざこね》になった。宇然はこの光景をうれしそうに、いつまでも遠眼鏡でのぞいて見あきないふうだった。

眠れないままに、観察していると、すこしずつこの奇妙な親類たちの様子が分ってくる。この二十人あまりは、約五つの家族で構成されており、その五つがちょうど五つの部屋にうまく分散して、互いにはげしく反目しあっているらしいのだ。阿瀬家の家財がちょうど建物の中心に高くまとめあげられているというのも、決して偶然ではなく、すべての家族から等距離にあり、平等に監視できるという意味なのだろう。ほかのものが寝てしまってからも、家財の山に一番近い五人だけは、いつまでも寝ないで起きていた。各家族から選ばれて出た、見張番の代表というわけなのだろう。

（なるほど、千見の言ったとおりだ。まさに猜疑心《さいぎしん》の亡者《もうじゃ》どもである。）

翌日は、日曜日なので、朝から家にいることになった。各家族から一人ずつ、五人の炊事当番が出たほかは、昨夜とまったく同じ対立と監視がつづく。宇然は弁当を受取るとすぐ、毛布と遠眼鏡をかかえて駈《か》けだしていった。それを見てKは、喉《のど》の奥になにか青白い味を感じた。

十一時ごろ、山でかすかに宇然の呼子が鳴り、土間に一番近い家族の一人が、すぐに立上って出ていった。Kはそのときはじめて、この親類たちの静寂の意味が分った。彼らはこの音を待つために、耳をすませていなければならなかったのだ。十分ほどして、出ていった男が息をきって駈けもどり、村の入口の飲屋にいま見なれぬ男が一人はいっていったと報告した。たちまち一同がざわめきたった。「そいつが、天地かもしれねえぞ。」……「いいや、天地は生きてるはずがないよ。」……「そんなことが誰に分る。帰って来たやつを見てみないことには、誰にも分らんこった。」……「卓見じゃなかろうな?」……「いいや、もっとずっと若い。」……「じゃあ卓見の息子か?!」……「えらい、貧乏ななりをしてるがな。」……「そういうのが怪しいわ。」……「いまごろ、のこのこ戻ってきて、勝手なまねされてたまるか。」……「誰か、行ってみんかな?」……「行って、二度と来んように追っぱらってしまえ!」……「よし、おれが行ってやろか。」……「乞食《こじき》みたいなりしとったよ。」……「そういうやつにかぎって、慾《よく》が深いだで、すぐに法律だとかなんとか言いだすぞ。」……「卓見ならともかくさ、卓見の息子なんて、赤の他人じゃないか。」……「そうそう、世間が法律のままに通ると思ったら、大間違いだでなあ。」……使者が自転車で飛び出していってから、二十分ほどして、また呼子がなり、こんどは土間から二番目の家族の男が出かけていった。そして、飲屋の怪しい男は、役場にやとわれた煙突職人であったことが判明した。使者は現在まだ一心に飲屋にむかって疾走中だが、もう呼びとめるすべもない。

二時ごろまた呼子がなった。三番目の家族の一人が出て行き、こんどは一台の乗用車が橋をこえて北進中という報告である。入れかわりに四番目の家族の男が出ていった。つづけてすぐ次の情報をうけとるためである。

反響はまえよりもひかえめだった。乗用車ということが、なにか決定的な印象をあたえたらしい。誰もが内心、それこそ宇然の兄の卓見にちがいないと確信したふうだった。だが、希望的観測もうまれていた。乗用車で乗りつけるほどのものが、トク婆さんの財産などをとやかく言うはずがないというわけである。この霊感が、電流のように一同の心をつらぬきとおした瞬間、不思議な反応がおきた。家族代表の見張役五人は、互いに顔を見合わせたまま、吸いつけられるように家財の山に向ってにじりより、その中で一番の目星しい宝とみえた桐の箪笥《たんす》に、五方から同時にぴたりと手をのばしてつけた。

連絡者が新しい報告をもってきた。乗用車は村長の家の前に停ったと伝えた。ほっと緊張がゆるんだが、箪笥に手をのばした五人の代表たちは、もう手をはなそうとしなかった。一人が疲れるとべつの一人と交代するという具合で、けっきょく最後までいつも五本の手がさわっていることになった。

三時半、またもや呼子がなり、こんどは五番目、つまりKの部屋を占領した家族の番である。この報告がいままでの中では一番ショックがひどかった。何者か、見馴《みな》れぬ服装の男がこつぜんと道路上に現われ、すでにもうそこまで接近したというのだ。庭にいた女たちがあわてて駈出していき、門から外をうかがってみた。なるほど、頭からすっぽりかぶって眼だけを出すスキー用のタコ帽子と模造皮の半オーバーに赤い襟巻という得体の知れぬ人物が一町ほど先をこちらに歩いてきている。こんどこそもう間違いない。天地か、卓見の息子か、いずれかは分らぬにしても、覆面をしてくるからにはよほどの悪党であるはずだ。一同は緊張をこえてほとんどうわずってしまった。土間の裏窓からのぞいていた女が、絶え入るような声で叫んだ。

「来たよ、来たよ……ね、みんな、門から中へ入れちゃいけない!」

男が、門のまえで立ちどまり、あたりを見まわしながら、入ってこようとする気配をみせた瞬間、見張役の五人とKとを残した全員がどっと駈出していって、口々にわめきだした。

天地か、卓見の息子か!……もうここは、あんたたちには用はないんだよ!……いけずうずうしいたら……さ、帰りな、帰りな……盗人《ぬすっと》め!……なんだい、勝手な時ばかりのこのこ面出しして……帰れってば!

そうしたわめき声の中に、Kはふと千見の声を聞いたように思い、通路に面したのぞき窓を開けてみると、逃げだしながら叫んでいるその声は、たしかに千見である。はっきりはしなかったが、Kに弁当をとどけに来たというようなことを、しきりと訴えている様子。窓から手をだし合図を送ってみたが、そのときはもう抗しきれず、あきらめて逃出していくところだった。

日がくれて、帰ってきた宇然は、いつになく興奮していた。親類たちの興奮のげくぜんとした感染ということもあったが、親類たちのむやみなさわぎを、彼は息子の帰還が間近いしるしだと錯覚していたらしいのである。誰からも相手にされず、一人で歯をむいて笑いながら遠眼鏡をみがいている宇然を見ていると、Kは自分の体が透きとおり、かすかな輪廓だけを残して消えていくような不安におそわれた。

（トク婆《ばあ》さんは死んだ。それで三角形はどうなるのか？　三角形は自分の足でここにやってきた。千見を追いはらい、おれを締めあげ、おれのこうもりまでも食いつくしてしまったらしい。）

翌日、学校で、千見をさがしたが、見当らなかった。病気で休んだのかもしれないということだった。校長も、町に出掛けたとかで留守だった。その一致がなにか暗号のように思えてならず、たまらなく腹がたってくる。猜疑心の虫がカチカチと歯をうちならして全身をかけまわるのだ。Kもまた、三角形の秩序にとらわれて、猜疑の亡者になりはてたのか？

ちがう、そんなことはありえない。やり場のないうっぷんをかかえたまま、半日をすごしたあとで、Kはふと素晴らしい思いつきをした。帰って、あの親類たちに、こう言ってやったらどんなものだろう。

「皆さん、ひとつみんなで、家出をしてみませんか？」

あわててもいけない、大声になりすぎてもいけない、淡々としてあせらず、ごくあたりまえの話のように言ってのけるのだ。

しかし、家に近づいたとき、おかしいなと思った。すると、予感が当っていた。家の中はからっぽで、親類たちは一人もいなかった。いや、いなくなったのは親類たちだけではない。緬羊《めんよう》も、あの積み上げてあった家財も、襖《ふすま》も風呂桶《ふろおけ》も、ポンプの柄も、鍋《なべ》も釜《かま》も、コタツのやぐらも、なにもかも一切が消えてしまっているのだ。颱風《たいふう》に吹きとばされたように、どこもかしこもすっかりむきだしになっている。K自身の荷物も、本や帳面をのぞいたあらかたがなくなっていた。

凍って踏むと音をたてそうな畳の上にぼんやり立っていると宇然の呼子が聞えてきた。しかし今さら、どうということもあるまい。三角形はいったいどうなったんだろう？　畜生、校長のやつ、うまいこと手品をつかいやがったみたいだな。

バスの走る音がした。そしてまた呼子が聞えた。
二、三分たったとき、足音が、門をとおって土間のほうへ入ってきた。立止り……ためらい……軽く引戸を叩《たた》く音。行ってみると、小柄な学生服の男が顔中で笑いながら立っていた。
「叔父さんですか？　いや、ちがうな。叔父さんはそんなに若いはずはないやな。誰か知らないけど、ぼく、阿瀬卓見の長男です……新聞で、叔母さんのこと見ちゃったんで、親父《おやじ》がちょっと行って見てこいって言うもんでね。わあ、ひでえとこだなあ……」

Kはその、卓見の息子という、皮をむいたようにのっぺりした桃色の顔を見て、思わずなぐりつけてやりたいような気持になった。

「ひでえなあ……」踵《かかと》をこつこつ鳴らしながら、「でも、あなたは、どなたです？」

「下宿人です……もう一日早ければ、いくらか遺産も残っていたんだけどね……」

「いいですよ、そんなもの。」

「もうなんにもない、ごらんのとおりです。」

「叔父さんは？」

「山で望遠鏡をのぞいていますよ。」

「気ちがいなんですってね。ひでえもんだよ。」

「どうします？」

「すぐ帰りますよお。」

「叔父さんには？」

「逢《あ》ったってしようがねえや。じっさい、親父のやつ、いやなこと押しつけやがって……でも、もう見ちゃったんだから、いいですよねえ……」

Kは、その卓見の息子をなぐらなかったということでいつまでもくよくよ思い悩んでいた。

しかし、いつの間にか自分が校長と同じような意見になりはじめていることに気づいてぎくりとした。

町に戻っていくバスの音がした。するとつづけて、泣き叫ぶように連続する呼子の音がしはじめた。

Kは大きな音をたてて、自分の喉《のど》を飲込んだ。巨大な三角が、大きな口を開けてすぐ後ろにせまってきているように思われた。


（「文芸」昭和三十二年一月号）

鉛の卵

1　クラレント式恒久冬眠箱

どれい族街の炭坑で――と、ことわるまでもなく、炭坑はどれい族街にきまっていたが――あらたに採掘を開始した古代炭化都市層から、長さ四・五メートル、胴まわり九メートルばかりの、卵形をした大きな鉛の塊が発見されたのだ。卵といっても、われわれが見知っている魚類等の、あのほぼ球形に近いやつとはちがい、すでに数万年まえに死滅した、例の鳥類の卵にちかいもので、偏楕円形《へんだえんけい》をした、すこぶる奇態な代物《しろもの》だった。

それにしても、すでに人工炭素の大量生産をはじめているこの時代に、せめてまだ比較的純度が高く、二、三の工程をつけ加えるだけですむ炭層ならともかく、鉄だとか、ガラスだとか、セメントだとか、やっかいきわまる不純物をどっさりふくんだ泥炭都市層など、なにをいまさらと不審に思われる読者もいるかもしれないので、一言《ひとこと》つけ加えておく。これは古代の研究と保存に熱心な市当局の、まったく採算を度外視した大胆なこころみの一つであり、現にこのたびの鉛の卵の発見など、そのしかるべき成果として、十分に評価しうるものではなかろうか。

さて、第二区採炭操作室の受持ちのどれい頭は、ダイヤルの指示をみて、ただちに現場にかけつけた。機械をとめて、応援隊を呼び、二時間後には原型をいささかも傷《いた》めずに、坑外に搬《はこ》びだした。彼は古代都市層の採炭夫として市政府の特別教育をうけていたから、その卵の表面にしっかりととめられてあった真鍮板《しんちゅうばん》の文字を難なく読みとることができたのだ。といっても、べつに驚くことはない。オッジの文化螺旋《らせん》展開説があてはまる一例でもあろうが、この炭化都市時代、正しくは第四紀鮮新世末期の人類の言語も、文字こそちがえ、現代とほぼ共通した構造でなりたっていたから、その学習も思ったより容易だったのである。それを現代文字に翻訳すれば、ほぼ次のようになった。《クラレント式恒久冬眠箱CM一九八七——二〇八七》クラレントというのは発明者の名前ででもあろうか。冬眠箱というのは、言うまでもなく、人間もしくは動物を冷凍し、仮眠状態において時間経過にともなう老廃現象を停止せしめる機械。当時は、まだ今日のような過去再生機もなかったし、またもっぱら事実以上に人間的曖昧《あいまい》さを尊重する風潮もあってか、歴史を伝達するために、えらばれた学者を冷凍、後世につたえるという面白い習慣があった。なおCMは、何々より何々までの意。したがって、この冬眠箱は、一九八七年に埋められ、二〇八七年に開かれる予定だったらしいということが分る。

採炭夫はことの重大さを知り、さっそく携帯無線電話で事務所を呼びだした。事務所はさらに市の教育課に急報し、数分後には炭坑の入口に、大型電磁波高速車がぴったりと横づけになる。数名の専門家とともに、各種の機械がはこびこまれ、やがて精密な調査がはじめられた。

ほぼ半日をついやした検討のけっか、調査団のだした結論は次のようなものであった。——該冬眠器は、予定の二〇八七年に自動的に開くはずであったが、そのわずか前に、なんらかの物理的影響をこうむり、ために一旦《いったん》作動不能におちいり、そのまま約八十万年を経過、炭層にうもれてしまった。その後、採炭機の振動によって、機能を回復、現在、ふたたび作動中のもよう……というのである。ただし、その作動が終了して、卵が実際に開く時期については、数時間説から数年説まで、諸説まちまちで、ついにきめることができなかった。また、それより大きな議論のまとになったのは、中の古代人間が、はたして無事に保存されているかという点についてである。いくら低温にたもっても、絶対零度でもないかぎり、完全に細胞の代謝を停止させることは出来ない相談であり、もしその基礎代謝の速度に八十万年を掛けた年齢が、人間の寿命をこえてしまえば凍ったままでもやはり老衰死をまぬがれることはできないわけである。つまり、現在まで保存されているためには、すくなくも一万六千分の一以下の代謝率が要求されるわけで、当時の人類がはたしてそれほどの技術をもっていたかどうかになると、これはもう、すこぶる疑わしいことといわなければなるまい。……だが、それも、ただ疑わしいというだけで、絶対ありえないことだと、断言してしまうこともできなかった。

そこで、どうせ見込みはないのだから、博物館までの運搬の手数をはぶくためにも、すぐに切断分解してみようという即決論者もいたが、待ってもせいぜい数年のことだし、場合によっては数時間で結論をえられるかもしれないことなのだからという、慎重派のほうが結局は勝を制して、このクラレント式の鉛の卵は、やがて翌日、ジェット空中クレーン二基にはこばれ、無事、人間街の歴史博物館におさめられることになったのである。

2　人間は賭《か》けた

鉛の卵は、陳列ケースはむろんのこと、部屋におさめるのにも大きすぎたので、入口正面の大ホールに、下に木枠《きわく》の台を組み、ちょうど茹《ゆ》で卵をおく要領で縦に据えつけられ、たちまち、全市民の人気者になった。それでも、午後の三時までは、一般開放の時間で、どれい族の参観も許されていたから、身分のけじめを重んずる人間たちは、自制してかあまり近づこうとしなかったが、三時をすぎると、もう誰彼の区別なく、ほとんど全市民が群をなして集まってきて、あれやこれやと、はてしもない評議にふけりはじめるのだった。

鉛の、しっとりとした冷たい肌に耳をおしあてると、風の夜のテレビ塔のようななりにまじって、かすかに時計が時を刻むような音がする。いつ卵が割れるかもしれないという緊張に、なんでも珍しいもの好きの人間たちは、もうたまらないような興奮を感じるのだった。できれば終日ここに坐《すわ》りつづけてでも、見張っていたい。当分は昼間も、どれい族の出入りを禁止しようかなどという意見もでたが、もし万一、機械の故障で卵が爆発するようなことでもあったら、やはり後始末にどれいが居たほうが便利だろうということで、その案はとりやめになった。それくらいなら、夜も一般開放にしたらよさそうなものだが、それでは自分たちが自由にふるまう時間を完全になくしてしまうことだし、それよりなにより、まず一般的治安ならびに秩序にかかわることだったから、これだけは、なにをおいてもだんぜん守りぬかねばならぬ規律であった。

こうして四日目。すると、あきっぽい人間たちは、そろそろ自信を失いかけ、違約金をはらってでも、賭《かけ》のべつな目に乗りかえるものが目立ちはじめた。つまり、彼らの性癖からして、老若男女《ろうにゃくなんにょ》をとわず、ひどく賭け事がすきで、なんでも賭けずにはいられない。当然、卵の割れる日時は関心のまとになった。はじめは短時日――たとえば第一日目の零時以前だとか、三日以内とかの目をとるものが多かったのだが、四日目になると、それが急に長期の予想にかわったのである。二カ月以内だとか、六カ月以上だとか、さては十年だとか言いだすものさえあらわれる始末。ともかく、一カ月以下をいうものはぐんと少なくなってしまった。また、中の古代人がうまく生きているかどうかについても、はじめの生きている側の圧倒的優勢から、たちまち逆転、ついには空白説まで出てくるありさまだ。ただ、その古代人が、はたしてわれわれ同様の人間的な存在であるか、それとも、どれい族のごとき存在にすぎないものかという点になると、これだけはあまり変化がなかった。それは古代人が、現代人ほどの知性や文明は持ち合わせていないにしても、その本性においては、やはり自分たちに近いものであることを、おのれの正統性を主張するためにも、まず前提として認めざるをえなかったからである。

こうしたことは、市民たちの根気のなさ、あるいは気まぐれを意味しているかもしれない。しかし、彼らが、すでに鉛の卵に興味を失いはじめたのだと考えたとしたら、それは市民たちの性格を、まったく見誤ったことになるだろう。彼らの賭の動揺は、むしろ逆に、一時的な陽気な関心から、ひどく親身な、心からの関心にかわっていったためだった。だが、そのことは、おいおいはっきりしてくることだ。話を先に進めよう。

さて、その四日目の午後六時……

3　古代人

いや、正確に言えば、午後五時五十三分、とつぜん卵がうなりだしたのである。同時にその輪郭がぼやけはじめた。ぼやけはじめたのではない、震動しはじめたのだった。それから、頭と尻《しり》の、上下から各二十センチばかりのところに、白い輪が鉢巻のようにもりあがり、とみるまに、内側から柱がのびて上中下の三部分に、その輪のところから切り離され、さらに中の部分に、縦の割れ目が二本できて、そこから釣橋のように殻の一部がせり出してくる。つづいて内部の白い軽金属の筒が半分ほど前にとび出すと、くるりと半廻転し、扉をひらいて、振動がやんだ。

すると、待望の古代人、八十万年も昔の人類が、たぶん人類が、まぎれもなく生きて、目をしばしばさせながら、つっ立っているのだった。一瞬、人間たちは、緊張のあまり押し殺していた声を、同時にはきだし、まるでつむじ風が、博物館の高い天井を撫《な》でさすっていったようである。賭のことも忘れた、心からの安堵《あんど》だった。次の瞬間には、それが、わきたつ歓呼にかわり……

だが、なぜか、古代人は、いつまでもただ膝《ひざ》をふるわせているだけである。古代人の奇妙に大きな喉《のど》の突起物が、はげしく上下に運動した。それから、衣服——たぶん衣服だろう、まさか皮膚の一部ではないだろう——の中からつきだした、色のわるい不恰好《ぶかっこう》な手が、おかしなどんぐり目をつかみとり——いや、目ではなかったらしい。その外した目の下に、やはりいやらしい形ではあったが、もっといかにも目らしい、つまり顔の中にうまくはまりこんだ目が出てきたところをみれば、はじめのは本当の目ではなく、なにかその装飾品、ないしは代用品のようなものであったようだ——を、衣服の袖《そで》（と思われるもの）にごしごしとこすりつけ、もう一度目のうえにあてがって、なんとも言えぬあさましい表情で、群がって見上げるホールの一同をあわただしげに眺めまわす。

人間たちも、われにかえり、急に白けた気分になってしまった。古代人の外観が、単に、ひどすぎるというだけでなく——そのことだけなら、どうせ化石になっていても仕方がない、八十万年も昔の人類のことでもあるし、見のがしてやろうというくらいの寛大な気持は、めいめい心の中で十分に用意していたはずだが——この空虚な、無味乾燥な態度は、いったいどうしたというのだろう？　こんなものは、人類でもなんでもなく、本当の古代人が、後世のものをからかってやろうと仕組んだ、いたずらなのではあるまいかなどと言いだすものさえいたりして、やがてあたりは騒然となり、そうなると気分もすっかり現世的になって、さっそく賭の取引きや精算が、ついで多少のいさかいが、各所ではじめられたのだった。

しかし、人間——市民たち——は、ともかくも礼儀と秩序を重んずる人々だったから、そのまま散りぢりになってしまうようなことはなく、さわぎながらも、じっと何かを待ちうけていた。とつぜん、割れた卵の腹の中で、古代人が叫び声をあげ、片手が顔をおおい、もう一方の手で卵の壁につかまりながら、うずくまるようによろよろと膝をついた。たちまち、あたりがしんとなる。まぎれもなく、すばらしい歓喜の身ぶりにちがいなかった。人々の表情に、ふたたびほっと安堵の色がもどり、期待と寛容の気分が、ひたひたとよせ返してくるようでさえあった。お、お、お……と古代人がうめいて、肩をふるわせた。人間たちはそれにも気をよくした。それから、古代人がなにか言葉らしいものを、ふるえ声で繰返すのを聞いた。人々は、やはり何かを待ちうけていた。

4　緑の幻

彼は、決して、ねぼけたような状態でいたわけではない。冬眠は、ふつうの睡眠とちがって、その間に生理的な変化がおこるわけではないから、卵に入る直前の、すなわち一九八七年二月一日の正午と同じくらい緊張した明晳《めいせき》な気分で、いきなり目をさましたのである。それだけに、この混乱した感情は、なんとも名状しがたいのであった。まるで、気が狂っていく過程を、はっきり自覚しているようなものだ。たしかに、気が狂いはじめているとしか思われなかった。

彼の予想では、二〇八七年二月一日の今日――そうとしか考えられない、ほかにどんなことが想像されるだろう――定められた正確さで目をさまし、ドアの前に立つと、やがて遠くかすかに歓迎の音楽がなりわたり……それから突然ドアが開き……あかあかと照りはえる小春日和《こはるびより》の陽ざしの下で、まず大きな花輪にかざられた彼自身の写真が、鏡のように正面にそそり立ち、その左右を、いまは亡《な》き妻、子供たち、孫たちの写真などがとりかこみ、そして万の群集の拍手をうけながら、すっかり老《ふ》けてしまった初対面の曾孫《ひまご》が、あるいは曾々孫が、花束をかかえた腕を重そうにいくぶん照れながらすり足で近づいてくる……細部に——たとえば額縁の色だとか花の種類などには——少々のちがいはありえても、儀式の基本的な段取りには、さした変化があるはずはなく、まだ見なくても見たように思いうかべられるほど、もうはっきりしているはずのことだった。冬眠に入るまえ、すでに文書にして、決めてさえあった。そして、そうだ、あいさつの文句さえ、事前に用意して、ポケットにしのばせてあったのに……（いま、それが、胸の下で、カサカサと音をたてて鳴っている）

それだのに、実際に目にしたもの、これは一体何んなのだろう？

はじめ彼は、どこかに、緑色の色ガラスがはめこんであるのかと思った。しかし、光線自体には、なんの変調もなかったのだ。緑色をしているのは、とりまいている人間たち自体の色だったのである。するとどうやら、緑色の衣裳《いしよう》に身をかためた、仮装の人々であるらしい。どうしたというのだろう？　この百年のあいだに、緑衣団とでもいうような秘密結社が、結成され……いや、ちがう！……彼はあわてて眼鏡をふいた。仮装じゃないんだ！……この生物たちは、裸で、その色は、つまり肌そのものの色なのだ。……しかも、人間みたいに直立している。そのうえ、その指で開けた穴ほどの、暗い小さな唇で、さえずり合っているのは、意味こそ分らないが、まぎれもなく言語らしい。すると、やはり、人間なのだろうか？……しかし、あのくねくねした奇妙な体つき……なんだろう？　何か思いだす……そうだ、人間の形をしたサボテンだ……おまけに、一人一人の形の極端な不統一。ある者は、やたらに指が長く、あるものの指は先がヘラのようにひろがり、のっぺりした腕、くびれめのある腕、長すぎる足、つぶれた足、ふくらんだ顔、ひだの入った顔、すべすべした肌、波うっている肌、うろこの生えた肌、ひょろ長いやつや、ずんぐりしたやつ……そして毛は一本もなく、そのかわり腰から下、脛《すね》のあたりを中心に、白い綿毛で覆《おお》われた長い紐状《ひもじょう》のものが数十本、あるいは数百本も、だらりとたれさがっていて……見まいとしても、人類の歴史の伝達者としてえらばれた、強い理性の持主、鋭い観察者である彼は、見ずにはいられない……なるほど、おれは気が狂いはじめたのだ、冬眠器のどこかに、なにか、ちょっとした、故障でもおきたのだろう。その影響で、意識のどこかにも、ちょっとした狂いがおきたのだ……そんなことを思いながら、やがて足もとからずるずると力が脱け落ちていく……

5 法　廷

やがて、万能翻訳器が到着して、さわぎが静まった。仲間からケリと呼ばれ、背中に一条《ひとすじ》、うろこ状にならんだ突起をそなえた、てらてらといかにも濃緑色にかがやく、大柄の男が、先頭にたっている。全体としては太いのだが、関節部のくびれめがひどくきゃしゃで、いまにも折れそうな感じのブッチと、濃淡の縞《しま》模様になってはいるが、比較的人間らしい——といっても、古代人が思うところの——ウロとが、その補佐役をつとめていた。

まず、翻訳器の本体を、ホールの中央、入口に近い部分に据え——こうしておけば、場外にあふれているものに聞えるにちがいない。——つぎにするするとマイクをのばし、するともう、なにやら古代人のつぶやきが聞えはじめ、しかしむろん、まだ意味は分らない。——ついで、ケリが、機械のまえに立ち、はじめに左端の赤いダイヤルを「第四紀……鮮……新世」と合わせ、なにやら呼びかけながら——むろん、古代人には、まだなんのことやら分らないまま——さらに次々とダイヤルを調節していく。と、ややあって突然、両方の言語系数がカチリとぶっつかりあった。

「本日は晴天なり、本日は晴天なり……」ケリの言葉が単調にくりかえすと、地面からはいずりだしたような声で、古代人がうめいた。

「ああ、おそろしい、まっくらだ！」

二つのちがった言語が、八十万年の年月をとびこえ、とつぜん共通の言葉になって、顔を合わせたのだ。シュッ、シュッ、シュッ、と人間たちが笑いだした。古代人は、ぎょっとして顔をあげた。ケリが振向き、ブッチにダイヤルの指数を告げる。3——B——一〇二四——KT——弱——8M……。ブッチとウロが、それぞれ二台ずつの小さな補聴器のようなものを、その指数に合わせて調節し、ブッチが一台を自分用にとり、もう一台をケリに渡し、ウロも一台は自分用に、そしてもう一台を古代人のところに持っていった。

ケリがマイクで呼びかける。

「そのまだらの男がウロです。どうぞ、よろしく。私はケリです。そして、こちらにいる、なた豆をつなぎ合わせたようなのがブッチです。これも、どうぞよろしく。ウロとブッチと私の三人が、今週の代議員です。今後とも、どうぞよろしく。ときに、ただいま、ウロがもって参りましたイヤ・ホーンは、それをつけていただくと、同じ指数で調節してあります当方三人のイヤ・ホーンと感応し、そのまたがいに共通の言葉で話し合うことができます。むろん、ただいまも、現に共通の言葉で話しあってはおりますが、これはこの機械を前にしたときだけにしか役に立ちませんので、どうぞさっそく、イヤ・ホーンをおつけねがいます。この機械は、公開用の場合はやむをえませんが、大体、翻訳自体を目的とするより、イヤ・ホーン調節のために、ダイヤルをさぐるほうが主目的なのであります。どうぞ、さっそく、イヤ・ホーンをおつけねがいます……」

古代人は、すっかり我に返った様子で、まだらの手にイヤ・ホーンをさしのべている足もとのウロを、しばらくじっと見つめていたが、それだけによけい信じられないといったふうで、つよく首を左右にふり、こわごわ指先をさしのべてみる。しかし、びくついていたのは、なにも古代人のほうだけではなく、ウロのほうもけっこう同じであったらしく、イヤ・ホーンが古代人の手にかかったとたん、あわてて腕をひっこめ、それがあまり大げさだったので、つい仲間たちの失笑を買ってしまったほどだった。

ケリが言った。

「では、まず、一同にかわって、ごあいさつ申しあげます。よくいらっしゃいました……つづいて、早速ですが、二、三、おたずねしたいことがあります。代表としての質問ですから、ぶしつけの段は、どうぞお許しください。まず第一に、あなたは人間ですか？　つまり、人間そのものとは言えないまでも、正式に、人類の一員でいらっしゃるのでしょうか？」

古代人は、眉《まゆ》をひそめた。ケリの、細い金切声が、ひどく癇《かん》にさわったのである。もっとも、こんな場合、こうした感情は、意志の力をとりもどしはじめた兆候でもあり、けっして悪いことではなかったようだ。

「そりゃ、私のほうで、うかがいたいことだ……」

内容はともかく、その不気味な肉色の、癒《なお》りそこなった傷口のようにみえるだだっぴろい唇を、これみよがしにひきつらせ、割れた笛のようにしまりのないダミ声で、喋《しゃべ》りはじめたこの古代人のまことに珍しい第一声が、思わず何人かを吹きださしてしまったとしても、それは無理からぬことだったろう。その笑いにはげまされたかのように、ケリが語気を強めて、

「話は、順序を追って、すすめることにしましょうや。私たち人間は、秩序を愛しているのです。私たちをおこらせても、なんの得にもなりますまい。」

古代人は、反射的に、食肉植物の存在のことを、ちらと思いうかべていた。（もしかすると、こいつらは、その食肉植物の進化したものかもしれないぞ……牙《きば》は生えて

大いるかな？）口許《くちもと》をうかがってみたが、その唇のまわりは退化し、すぼんでいて、大した牙もありそうにない。しかし、やはり、なんとなく薄気味がわるく、まったく相手の言うとおりだという気がしてくるのだ。「いや、べつに、そんなふくみで言ったりしたわけじゃありません……」かつて、人間界で、教壇や、演壇に立ち、たくみに聴衆を魅了しさった、あの身のこなしや呼吸のことを思い出しながら、「私にはただ、すべてがあまりにも唐突であり、また意外だったので……」まったく、こんな緑色の化物どもを相手に、いつか普通の人間が演説をしなければならない羽目におちいるなどと、いったい誰に想像できただろう！「どんなふうにお答えすればいいものやら……」もっとも、この精巧な翻訳器など、なかなかあなどりがたい文明である……うまくまた、人間界に戻るときが来て、こいつらの発明品を二つ三つ、盗んで帰ることができたら、こりゃ大した土産《みやげ》になりそうだがな……「しかし、ともかくお答えしたいと思います。」そうだとも、そうしなけりゃいかん。実際のところ、おれは腹をすかしているんだ。手持の食糧といえば、箱の中に非常食二日分、これをもし、二日はもてるなどと計算したら、とんでもない間抜けだと言われても仕方あるまい。非常食というやつは、必要がなくなって投げすてるまでは、こっそりとっておこうという心構えがあってこそ、はじめて真に役立ってくれるものなのである。ともかくおれは、この化物たちから、なんとしてでも食糧をめぐんでもらわにゃならんのだ。冬眠のあとは、とくに十分な栄養が必要だと、くれぐれも言いわたされてきた……「そうです、よろこんで、お答えいたしましょう。まず、第一の質問についてですが……」ちくしょう、急に空《す》きっ腹《ぱら》がこたえてきたな……「信じていただけますかどうか、十分な自信はもてないのですが、私がホモ・サピエンス、すなわち人間、なかんずく現代人、しかも文明人であることは、これは私の単なる主観から申し上げるのではなく、まったく全人類によって保証されるはずのものであり、さらにはまた、百科辞典、動物図鑑、人体解剖図、等々の文献を参照していただきましても……」

人々のあいだから、わっと叫び声があがった。古代人には、それが笑いにも、また怒りにもとれ、正確には区別することができず、そのいかにも足場のわるい自分の立場に、思わずぞっと立ちすくむおもいであった。——ふと、緑色のものたちが、人間はおろか、もはや動物でさえないものに見えはじめ、全体がけじめなく融《と》けあいからみあって、ふいに一つの叫ぶジャングルと化したかのような錯覚にさえとらわれるのだ。

「よろしい。では第二の質問……」とジャングルの声が、ゆれうごきながらせまってくる。「で、あなたの年は、いくつですか？」

「四十二歳です……」どよめきが、いちだんと高くなったので、あわてて言いなおし、「むろん、冬眠箱にセットされた当時の年齢です。その後、どれぐらい経《た》っているのか、私には見当もつきませんから……」

「約、八十万年ばかり、経っているようですね。」

「八十万……？」古代人の枯れたような、きたならしい顔が、しわくちゃになった。「どういう、意味です？」

「一年の八十万倍、それだけの年月が経った、ということですよ、要するに。」

「しかし、失礼ですが、なにかのお考えちがいじゃありませんか？　八十万年前といえば、まだ氷河時代もはじまっていないころだ。マストドンが生きていた時代ですよ。ネアンデルタールはおろか、ピテカントロープスだって、まだ生存していなかった時代なんだ。オーストラロピテシデがやっとアフリカのどこかに現われはじめたばっかりの……いくらなんでも、まさか私が、オーストラロピテシデだなどと……とんでもない、第一、私は、アフリカなんぞに、まだ一度も足をふみいれたことさえないんですからね……」

「そりゃ、八十足す八十で、百六十万年ばかりまえのことですよ。眠ってすごせば、去年も明日も今日のうちというわけですな。」とケリが言うと、どっと笑い声がおこった。こんどは笑いにちがいない。

「なに……なにがおかしいんです？……はあ、冗談なんですね？」

「誰も、笑ったりなんぞ、してやしませんよ。私たちは、こういう感情を、絶望とか、詠嘆とかよんでいますがね……冗談だなんて、めっそうもない……どうやら、あなたは、ひどい勘違いをしてらっしゃる。」

「ちょっとうかがいますが、」一瞬ひらめいた考えに、とりすがるようにして、「で、歴史によりますと、あなたがたの祖先も、やはりピテカントロープスだということになっていますか？　それとも、なにか植物の一種で……。それからもう一つうかがいたいのは、あなたがたの一日の単位について……？」

あたりがしんとなる。ケリが心もち声を固くして、「ピテカントロープスも、先祖の一つではあったようですね。なお一日の単位は二十時間、午前十時間、午後十時間、あなたの時代にはまだ、十二進法をつかっておいでのようでしたね……しかし、無駄な期待はかけないほうがいいですよ。何進法でかぞえようと、いずれ一年は三百六十三日なんだから……いや、あなたの時代には、三百六十五日だったかな。一日のちがいは大きいね、八十万年のあいだには、四、五千年のくいちがいができる……と、思うかもしれないが、地質時代の計算には――と言っても、失礼にはあたらないでしょうね。ともかくあなたは石炭のなかで発見されたんだから——四、五千年くらいは、まず、ほとんど同時としてあつかうのが常識ですよ……。どうです。まだぴんと来ませんか？八十万年もねむっていると、よほど寝呆《ねぼ》けてしまうのかな？」

「すると、私は……」しわくちゃになった顔が、さらに摑《つか》みつぶされたようになり、それから急にだらりとたれさがった。「八十万年……」

「そうですとも。だから私たちも、興味しんしんたるものがあるわけですよ。なんとか得心がいきましたか？」

それからまた質問が続行された。古代人はしじゅうメランコリックに、言葉少なに答えるだけだった。質問の内容は、身の上調査のようなことから、衣服と皮膚の関係についてだとか、日光の照射量はどの程度が一番快適だと思うかとか、そんな視覚的、あるいは形態的な問題が中心になり、この緑色の現代人の関心がひどく表面的で散発的であることがうかがわれる。

陽が傾き、あたりが薄暗くなりはじめると、どこからともなく、柔らかい、明るい光が輝きだし、影が二重にも三重にも淡くだぶっているのを見なければ、まるで第二の太陽が昇ったとしか思えない。しかしやがて——あいかわらず卵のなかに立たされている古代人にはみえなかったが——あたりの明るさにもかかわらず、空だけがとっぷり暗くなった。それを合図に、質問が打ちきられ、ケリが振向いて、緑の市民たちに次のようなあいさつをした。

「代議員代表として、無事役目をはたさせていただきましたことを、心からお礼申し上げます……では本日は、一応この辺で……」たちまち、群衆のさわぎにさえぎられ、古代人にはよく聞きとれなかったが、人々はなにか不満を訴えているらしい。ケリが制して、「皆さんが、疑わしく思っていられるらしいことは、よく分ります。私だって、この古代人が、自ら主張するように、言語をもち、人間として自覚しているということだけで、だからそのまま人間の一員と認めようなどと、不穏な思想に与《くみ》しているわけではない。どうぞ、嘘《うそ》発見メーターの指針を見て下さい……」と、わきの翻訳器の片隅をさし、「しかし、古代人とわれわれの形態的相違だけをみて、またその外見がわれわれに及ぼす印象だけをもって、彼を人間でないとか、どれい族に属するものであるとか決めてしまうのも、やや早計にすぎると思う。たとえば、人間と猿の共通祖先であった、プロプリオピテクスは、当然、猿の性質もかねそなえているが、しかし同時に人間の素質を持っているのであり、人間から完全にへだたってしまった猿などとくらべれば、まだはるかに人間的であると言わねばなりますまい……」それでも、いっこうに騒ぎが静まろうとしないので、ケリはあきらめたように手をふりながら、「いや、分っています。私も議論はきらいです。つまり皆さんは、私もそうだが、賭《かけ》の勝負けをきめるために、この古代人が何パーセント人間であるか、また何パーセントどれいであるのかを、はっきり具体的に知りたいわけですね。しかし、いったいどうすれば……」

「労働がすきか嫌いか、たずねればいいんだよ。」と、ブッチがわきから知恵をかす。ケリが小刻みにうなずき、すると背中の突起が波うった。

「では、うかがいますが、あなたは労働が好きですか、きらいですか？」

古代人は不安そうに、目をほそめて、どこか遠くをじっと見つめた。薄桃色をした、変な形の鳥が飛んできて、向いの建物の軒にとまり、飛んでいった。……彼の価値体系の中では、労働は、たぶん尊重すべきものだったはずである。しかし、彼の心には、いましがたのケリの話の中にあった、どれい族という言葉が、なにかの暗示のようにこびりついていて、それが答えを有利なほうに導いてくれたのだ。

「きらいです。」

「ぜんぜんきらいですか？」

「きらいですとも。」どれいあつかいなんかされて、たまるものか。おれは、腹がへっているんだ――

「どうやら、本当らしい。」ケリがさきほどの嘘発見メーターをのぞきこみ、古代人はぎくりとして、自分が本当になまけものであったことを、心からよろこんだものである。

「では、遊びごとは?」

「まあ、好きです。」

「ばくちは?」

「そう……あまり、やったことはありませんが、でも、やれば好きになるだろうと思います。」

うなずいて聴衆のほうをふりかえり、「ざっと、ごらんのとおり、文化水準は、まだ未発達のようですが、しかし見せかけ以上に、人間らしいことが分りましたね。」

市民たちも、どうやらこれで、一応は納得したらしい。やっとケリが妨害なしにあいさつを終え、法廷の幕が閉じられた。そう、まさしく法廷だったのである。しかも危険な法廷に立たされていたのだと、古代人は冷汗をかく思いで、うながされるまま、地面におりたった。八十万年ぶりの大地なのだ、とふと思い、すると骨をかむような寂莫感《せきばくかん》に、胸のなかが空《から》っぽになったような気がした。

6　散　歩

今週いっぱいは、ケリが面倒をみることになり、人々は散り、ブッチとウロも、翻訳器を押して立去った。「御案内しましょう。」というので、古代人は、冬眠箱の中の資料や非常食のことを気にしながらも、あとについて街に出る。一面白い砂でしきつめられた、道の広さが目立つ街には、緑色の市民たちが、各所に群れて、その誰もが、なにかの賭をたのしんでいるのだった。賭にはありとあらゆる種類があった。古代人がおどろいたことは、その賭がすべて現金で、しかも金貨でなされていることだった。よちよち歩きの幼児でさえ例外ではない。そういえば、冬眠箱の上から見ていたときも、連中はしきりになにやら黄色いもののやりとりをしていたようだが、あれがぜんぶ金貨だったとは、ずいぶん裕福な生活だと——心の中では、やがて供応されるであろう、それに匹敵する食卓の豪華さを思いえがきながら——古代人がおどろいてみせると、ケリは得意気に（といっても、この現代人たちは表情筋が退化してしまっているのか、ほとんど表情らしいものがなく、ただその唇のとがらせ具合を、そんなふうに想像してみたまでだが）、膝《ひざ》のあたりの紐状《ひもじょう》の房の下から、どっしりした財布をのぞかせてみせたりした。

言うこともないので、黙ったまま、二人はどこまでも歩いていく。ふいにまた、薄桃色の不恰好《ぶかっこう》な鳥が飛んできて、ケリの腕にじゃれついた。さっき、向いの建物に飛んできたやつと、同じ種類である。

「ずいぶんよく馴《な》れた鳥ですねえ。」

「鳥？　鳥じゃありませんよ。鳥類なんて、もう何万年も昔にいなくなっちゃった。これは、犬ですよ。」そう言って、そのおかしな動物の後ろあしをつかまえ、裏返しにして見せてくれる。本当に、哺乳類《ほにゅうるい》の生殖器がついていた。

「ずいぶん、可愛《かわい》らしいですね。」とおせじを言ってみたが、相手は黙ったままだった。

さらに歩きつづける。ところどころに、コンクリートでかためた池があり、二、三度ケリは立止って、下半身の紐の房にしめりをくれていた。やがて古代人は、不安になりだした。どこまで行っても、単調なくりかえし、複雑にうねった白い大小の塀が、曲ったり、切れたり、つながったりしながら、はてしもなく続くだけで、樹木などがないのはどうせ人間が緑なのだから気にならないにしても、肝心の街らしいものなどどこにもなく、人の住む建物さえまるで見当らないのだ。

「ずいぶん遠いんですね。」

「何が?」

「お宅ですよ。」

「お宅?」

この現代人には、住宅の観念がまったくなかったのである。二人が了解しあうまでには、かなりのやりとりが必要だった。彼らはただ色が緑であるだけでなく、動くということを除けば、生活までもすっかり植物化していて、体を静止させる以外には、休息も睡眠も必要とせず、しぜん家屋の必要もまったくないらしいのである。

「じゃ、商店やデパートは?」

その必要もない。さっきの、博物館の前の建物が、市民共有の倉庫で、必要なものはなんでも——たとえば金貨でも!——そこから自由にとってくればいいのだから。足りないものができれば、どれい族どもが、すぐさま自動的に補給してくれる。——では、病院は? 事務所は? 学校は? むろん、病院もいりはしない。彼らにとって唯一《ゆいいつ》の悩みは、むしろはてしもない長寿ということなのである。ケリもすでに三百八十八歳であり、あと百十二年たたないと死ねないのだと、ゆううつそうに答えるのだった。誰もが死にたくてしかたがないのだ。しかし五百歳にならなければ、死刑にされる権利が生じない――また、学校も事務所も、いるはずがないと言う。われわれは、一切の労働をやめてしまったのだから――それにしても、高い教養を身につけたものだと、感心してみせると、ケリはつまらなさそうに、瓶《びん》の口を吹いたような声で呟《つぶや》いた。なに、退屈と、それにちっとばかり素質もあるんでしょうね……

「いや、たいへんな進化です。私が眠っているあいだに、地球のうえでは、ずいぶんといろいろなことがあったのでしょうね。」

「なんでもひどい大飢饉《だいききん》の時代があったらしいですよ、五、六十万年まえ。それも、ながい年月にわたってね。多くの人間が亡《ほろ》び去った。われわれの、先祖だけが、たぶんあなたの子孫なのでしょうが、やっとその時代をのり切ることができたのですね。しかし、ただしぜんにのり切ったのではない。その時代のことをしるした石碑が残っていますよ。見たければ、さっきの博物館の二階にありますから、あとで行ってごらんなさい。それにはこう書いてあるんです。――餓死した死体のなかには、胃袋のないのもあった。胃袋が自分で自分を消化してしまったのである。それでそういう死体は、ほかの死体よりもずっと生々としてみえた……」

話が胃袋のほうに近づいてきたことに、感謝しながら、「それで？」

「いや、それだけです。あとは、消えていて、読めないのです。しかし、これだけでも、われわれの祖先が、ただ手をこまねいていたのではなく、餓死者の中から逆にすすんで生きる方法を発見したのだということが、十分にくみとれるではありませんか。……分りませんか？　われわれはこう解釈しているんですがね。つまり、なにかを欲しいと思う。しかしその欲しいものは存在せず、なかなか手に入らない。さてどうしたらいいだろう。おろかなものは、むりやりそれを創《つく》り出そうとする。そして、そこから、さまざまな不幸や悲しみがはじまるんですな。ところが祖先は発見した。つまり胃袋が胃袋を消化すればいいわけだ。他に求めず、おのれに求めればいい。欲しいものが手に入らないなら、むりに求めず、欲しくない状態に自分をつくりかえればよい。そこで——たぶん祖先は医者か生理学者だったのでしょうが——人間改造に着手したわけだ。血液の一部を、葉緑素にかえてみた。ごぞんじのように、血液と葉緑素は、化学構造がごく近しいものですからね。」

「じゃあ、やっぱり、葉緑素だったのか……」

「きまっているじゃないですか。なんだと思っていたんです……まあ、とにかく大成功でしたよ。手術をうけた人間は、光合成で空中から澱粉質《でんぷんしつ》を補給することができるようになったんですね。むろん、人工的に出来たことは、ほんのちょっとした、きっかけ程度のことだったにちがいない。たとえば、手のひらの緑化ぐらいでね……ところが、飢饉状態は人間が変異しやすくなっているから、この効果が人間に定着して、おまけに遺伝しはじめたんだな。こうして、その種族だけが、大飢饉時代にも打ち負かされることなく、逆にどんどん進化して、ついにわれわれ現代人にまで行きついたというわけでしょう。ほら、根まで生えましたよ。ここから水や養分を吸収するのです。」と腰の房をつまんでみせ、「一方、思いきって手術をうけるだけの勇気のなかったもの、あるいは金がなかったもの、あるいは機会にめぐまれなかった未開人種、もしくはその手術を自分に定着しえなかった不適格者などは、少ない食糧のあさましい奪いあいに狂奔するなかで、次々と亡んでいった。見るに見かねて、その一部を保護し、家禽《かきん》代りに育ててやったのが、現在のどれい族というわけです。もっともいまのわれわれは、せっかくだが、生命などというものには、もう飽々してしまっている。死にたくってしかたがない。しかし生きていなければ死ぬよろこびだって味わえないのだと思い、やはり一応は祖先に対して感謝しておるような次第です。それにまあ、その合理的な啓発の精神に対してですな……とにかく、あのどれい族のみじめったらしさを見たら、つくづく人間の有難さを思わないわけにはいきませんよ。」

「そんなに、ひどいものですか。」

「ひどいのなんのって、あの退化ぶりにかかっちゃ、かつては祖先を同じくしていたなどと、考えるさえはずかしい。」

「いったい、どんなふうなんです？」

「まあ、言わぬがはなでしょうよ。」

古代人は両手を擦《す》りあわせて、重い溜息《ためいき》をついた。「万事が、すっかり、変ってしまったんですねえ……」

ふと、しゃがみこんだケリが、握った両手をつき出していった。

「小石は、右か左か、一両。」

「……右。」

ケリはそのつるんとした緑の頭をふりふり、一枚の金貨をとり出して古代人にわたす。

「ありがとう。でも、こんなもの、もう何んの役にも立たないんですね。」

「とんでもない、それがなかったら、賭がたのしめませんよ。」

二人はまた歩きつづける。風景にはいぜんとしてなんの変化もおこらない。白い道、塀、コンクリートの池（ときおり、水浴びしているものがいる）、三々五々、群れて賭け事に興じている緑色の市民たち……

7　栄養補給

　と、ある池のまえで、古代人は思わず、ぎくりとして立止った。一人の娘が水浴びしていたのである。まるで全神経が、いきなり体の表面にふきだしてきたような衝撃だった。しかしすぐにまた、さりげないふうでそのまま歩きつづけようとしたのだが、見抜いたケリが、すかさず娘に呼びかけて、

「ペカ、古代人さんの、お気に召したらしいぜ。」

　ペカは無表情に顔をあげた。二人を一瞥《いちべつ》し、池をはいだすと、長い紐《ひも》からぼとぼとしずくをたらしながら黙って歩み去る。

「ついていってみますか？」

　古代人は力なく首を左右にふった。その娘の肌は、むろん緑色にはちがいなかったが、しかしそれまでにはまだ一度も出遇《でく》わしたことのない、まったく特別な色合いをしていたのだ。緑色のうえに、かすかなうぶ毛が、金色にかがやいている。同じ緑でも、これはまさに果実の緑だ。つぶすと、甘い汁が、こぼれ出してきそうだった。胃の腑《ふ》が暗いほら穴のようにぽっかり口をあけ、彼はあわてて唾液《だえき》を飲んだ。少々大げ

さすぎる、気のせいだと言ってきかせるのだがまるで効果がない。追いついて、ひっぺがして、かぶりつきたいような気持だった。

「恋なんて、退屈なもんですよ。」と分ったふうにケリが言って、池のふちに腰をおろす。

「どこかで、食事をするわけにはいきませんかね。」と、古代人はこらえきれず、ついにうめき声をあげた。

「しっ！」と唇に指をあて、あたりを見まわしながら、「ほかの連中には聞えないからいいようなものの、禁句ですぞ。まったく、とんでもないことだ。どうぞ、これからは栄養補給と言って下さい。」

「結構ですとも。ですから、その栄養補給をする方法を、なんとか……冬眠のあとでは、とくに十分な栄養補給をしないと、非常に危険なんです。」

「危険？」

「つまり、命にかかわるんですな。」

「なるほど……あなたは、珍しい古代人でもあることだし、特別な待遇を要求する権利はあるかもしれない。衆議一決すれば、あるいは、すぐにも死なしてあげることができるかもしれない。しかし、かくべつ珍しい存在なんだから、まあ、もうすこし辛棒していただいて……」

「だから、誰も、死にたいなんて言ってやしない……」

「それなら結構。」

「だから、栄養の補給をしたいと言っているのです。」

「じゃあ、しましょうよ。」と、ケリは簡単にこたえ、「私もちょうど夜の栄養補給をしようかと思っていたところです。時間がくると、この栄養根が、ちかちか痒《かゆ》くてたまらなくなるんでね……この池は、と……Bの8か……マグネシウムと加里《カリ》を倍添加してあるやつですよ。」

くるりと身をひるがえして、水の中にすべりこみ、一度頭まですっぽりつかって、それから悠々《ゆうゆう》と泳ぎはじめた。房がぱっと傘のようにひろがり、まるで下半身を煙でつつんだように見える。

「どうぞ、あなたもごえんりょなく。」

「だめです。私は、胃で、補給したいのです！」

「胃で？……でも、まあ、ためしてごらんなさいよ。」

「だめだってこと、あなたにだって、分っているでしょう。無理を言わないで下さい。私はあなたがたとはちがうんですからね。どうしたって食べなきゃ駄目なんだ。」

「禁句です！」

「しかし、とにかく胃から……」

「禁句です。どうぞ、もうこれ以上、くりかえさないようにして下さい。実に不愉快だな。」

「とにかく私は死にたくない！」

「いい心掛けです。」

「しかし死んでしまう。」

「まあ、そういうことになれば、私たちには、おひきとめする権利はないでしょうが……」

古代人が身の毛のよだつような絶望を感じたのは、ケリのそうした言い方に、皮肉や嫌味《いやみ》が、いささかも感じられないということだったのだ。せめて、いやがらせでもあれば、まだ説得の余地も、ありえたであろうが……「でも、その、どれい族たちは、胃から、栄養補給をしているのではありませんか？」

「どれい族は、どれい族です。もう言い合いはよしにしましょう。小石はどちら、二両……」

「その、どれい族のところへ行って、食べさせてもらってくる。」

「禁句！」とケリは水を蹴《け》って腰のあたりまでおどりあがり、「あなたはすこし、くどすぎますよ。さあ、小石はどちらです、右ですか左ですか？」

「右……右です。」

「畜生、またしてやられましたね。」

「私は、断然、どれい族のところへ行きます。」

「行けやしませんよ。ほら、あの塀、いや、その向うにそびえている高い塀です。羽のはえた犬にでもならなきゃ、まず見込みありませんね。」

そういえば、まえから気になっていた塀である。なるほど、あの向うがどれいの国なのか。しかし……と、ふと気にかかるのは……あの馬鹿《ばか》でかい塀が、不規則にではあったがあらゆる方向に、行く先々で行手をはばんでいたように思いだされ、小さな塀で迷路のように仕切られているため広々と感じられるとはいうものの、街全体が結局はその高い塀でとりかこまれているのではないかと、そんな気がしたことである。しかしまあ、あの向うがどれいの国だとすれば、なにかの錯覚だったのだろう。

「でも、どこかに門があるでしょう。」

「まさか、お客さんを、表口からどれい族街に、追放するわけにもいきますまい。犯罪でもおかさないかぎりはね。」

「犯罪をおかせばいいんですか？」

「もうながらく、そんな先例はありません。まあ、伝説に残っているくらいのものだな。」

「私がその伝説を復活させてやりますよ！」と古代人は挑戦的に言い、あたりを見まわしながら、「なにか……そうだな、盗みでもしてやるか。」

「盗む？　しかし、ありがたいことに、ここじゃ盗みなんて通用しませんからね。」

「じゃあ……」と、とつぜん飢えが、いや、身近にせまった餓死の不安が、彼を狂暴な気持にかりたて、「じゃあ、殺してやるからな！　殺人なら、たっぷり、おつりがくるだろうさ！」

しかし、ケリは、やはり退屈そうに呟いただけだった。「どうだかね。まあ、殺されたやつから、せいぜい感謝されるくらいがおちでしょうさ。きとくなことだって……みんな、もう、死にたがっているやつばかりなんだから……」

「じゃあ、どうすればいいんです。」たちまち、あわれっぽく身をかがめ、「いや、どうも、つい興奮してしまいました……しかし、どんなものでしょう、いったいどうやったら、現代では犯罪が構成されうるものでしょうか？」

「そんなこと、まさか、教えるわけにはいきますまい。教唆《きょうさ》の罪で、それこそ共犯罪

りである。

古代人は、もうただぼう然と、水にたわむれる緑の首を見つめて、立ちつくすばかりである。

《教授は八十万年後の植物人間の世界を探険中、相手の無理解により、職に殉じた。死因は、飢餓によるものと思われる……》そんな記事が、どこかの学界紙の片隅に、黒枠《くろわく》でかざられて印刷されることを、ちらと思いうかべてみたりしたが、学界紙も、その読者も、そんな小っぽけな未来は、とっくの昔にはるかな大過去になってしまっていることに気づいて、もう一度がっくり、うなだれてしまうのだった。

8　結　末

無意味な、すくなくも彼には無意味としか思われなかった長い散歩から、やっと鉛の卵にもどってきた古代人は、いくぶんやけくそな気持で、とっておきの非常食の袋をひき破り、薄焼の乾パンにたっぷりジャムをぬりつけて、これみよがしにかじりながら、博物館前の石段に腰をおろした。すると、広場の現代人たちのあいだに、ただならぬ動揺がひろがりはじめたのだが、死にとりつかれ、ヒロイックな絶望にうちひしがれている古代人は、なにも気づかなかった。

彼はむりやり、自分に言いきかせるのだった。さっきのペカという娘、あれならちょっと料理すれば食えそうだ。食っても罪にならないのなら、食ってやろうか。一人食えば、覚悟もきまり、次々と食えるようになるかもしれない。そうなってしまえば、ここの生活も、まんざらではないかもしれないな。案外こういうのが、人類の求めていたユートピアかもしれないではないか。無為と、怠惰と、平穏……そのうち、あの羽のはえた犬を家畜にして育て……何年か後には、このおれがここの支配者になっているかもしれないのだ……寂莫《せきばく》の王、孤独の王……そうだ、王などというものは、いずれ寂莫で孤独にきまったものなのだから……

だが、それから、とつぜん彼は逮捕されてしまったのである。なんのことはない、食べること……それがこの国での、追放にあたいする、唯一《ゆいいつ》の、そして最大の犯罪だったのだ。緑色の人々はひどく興奮していた。あわただしく金貨が交換され、期待を裏切った古代人に対する見せしめのつもりか、あたりかまわず、やたらと唾をはきちらしたりする。

古代人は体をかたくして、ただ小刻みにふるえつづけた。解決の、あまりのあっけなさ、食物への期待、しかし、それ以上に急におしよせてきた、まだ見ぬどれい族への疑いと不安……そうしたものがまざりあった、いまにも笑いだしそうな、そのくせ泣きたいような、まったくわけの分らぬ気持だった。

やがて、人間たちは、古代人をとりかこむと、威嚇《いかく》の身振りで腕をつきだし、喉《のど》をならしながら、博物館の中へとおしこんでいき、いったいどうするつもりだろう、もう一度冬眠箱にとじこめるつもりかな、と思ったがそうではなく、そのままわきをとおりぬけ、さらに奥へと追いたてるのだ。やがて、裏手に、同じような大ホールがあり、扉があったが、これは閉っていた。その閉った扉のまえに、古代人を立たせ、ケリがなにか叫ぶと、それを合図に緑の人間たちはわれさきにと駈《か》けだして、またたくうちにホールの中はからっぽになっている。

古代人はひとりでじっと待っていた。……やがて音もなく、なめらかに扉が開き、すると向うに、男が一人、立っているのだった。なるほどこれがどれい族なのであろうか、市民たちとはまるで似ても似つかない、その姿をみて、古代人は思わずぞっとしてしまう。だが、すぐ次の瞬間、なぜぞっとしたのか、わけが分らなくなってしまう。その男は、彼と、寸分ちがわぬ、古代の人間そのままだったのである。服の色さえちがわなければ――彼はグレイで、向うは明るい茶だった――そこにいるのは、鏡にうつった自分だとしか思えなかったことだろう。

「じゃあ、私だけじゃなかったのですね！」

古代人が叫ぶと、扉の向うの男は静かに笑い、手まねきした。イヤ・ホーンを外させ、目盛りをかえ、もう一度つけるように目で合図してから、話しはじめた。イヤ・ホーンを必要とするところをみれば、言葉はやはりちがうのだろうが、声の調子はまったく聞きなれたものである。

「お待ちしていましたよ。さぞ、びっくりしたことでしょうね……」

「ええ、びっくりしましたとも。」

「しかし、お許し下さい、どうしても必要な実験だったらしいのです。ぼくは、あなたが眠りからさめられたとき、すぐにもお迎えに来たかったのですが、古生物学研究所のうるさがたが、どうしてもしばらく観察させてくれといって、きかないので……」

「観察？」

「ええ、テレビでずっと観察していましたよ。古代人の植物人に対する反応をみるのは、人類の発達史をしらべるうえに、非常に役立つことなんだそうです。あなたの中の、植物的因子というか、植物化傾向というか……」

「しかし、あなたは……」

「いえ、ぼくは、あなたがいま考えていらっしゃるように、古代人なのではありませんん。あの向うの緑色の連中の言葉をかりれば、つまり、どれい族の一員というわけでしょうね。」

「やはり……でも、あなたのような、どれい族なら……」

相手の男は、おかしそうに手をふって笑い、「まったく、あの連中のおしゃべりにも、一応の真実はありますよ、それに、なかなか、頭もいい……しかし、実をいえば、私たちこそ、本物の現代人なのです。文字どおり、現代の人間なのですよ。私たちのことを、どれい族だなどと、彼らは勝手にきめていますけど、まったく奇妙で、しかもユーモラスな妄想《もうそう》をおこしたものですね。まあ、ごらんなさい……」

と指さされたほうを振返ると、いつの間にか閉った扉の内側に、いや、こちらから見れば外側に、なにやら読めない文字が書きつけてある。男がそれを、肩ごしに、一言一言区切りをつけながら翻訳してくれるのだった。

《市立古代博物館……中に、十二万年前まで繁栄せる、緑色人の保存公園あり。性温厚にして危険なし。現存する唯一の後期地質時代人類の変種にして、われらに多大の教育的価値をもつものなり……》

さあ、参りましょう、ホテルに部屋をとってあります、と男は笑顔で古代人の肩を叩《たた》き、いずれまた、今度は見物人としてここを訪ねることもおありでしょうが、そのときはきっと、この扉の文句もよほどぴったりしたものに思われることでしょうよ……

やがて、街に向う、音のしない半透明のすばらしい高速車の中で、古代人はうれしさのあまり、もう空腹さえ忘れている。しかし突然、信じがたく巨大な鋼鉄の網目のような都市が、きらめきながらそびえ立ち、すると彼は、この自分に似た現代人と、あの見捨ててきた緑色人と、率直に言って、どちらがはたして自分の正統な子孫であるのか、にわかには断定しがたい、奇妙な錯乱の迷いに引き裂かれ……くしゃくしゃになった顔から涙をあふれさせると、あたりかまわぬ大声で泣きはじめてしまっているのだった。

（「群像」昭和三十二年十一月号）

解説

渡辺広士

この短編集には安部公房の昭和二十八年から三十二年にかけて発表された短編、十二編が収められる。

小説家安部公房の活躍は昭和二十三年（二十四歳）の『終りし道の標《しる》べに』の発表の時に始まっているから、これら十二作が書かれているのは、それから五年あまりのち、作者の三十歳前後の時期である。この時期までのことをごく簡単に述べると、大陸の植民地、満洲の奉天で育ち、敗戦を迎えた彼は、引揚後、東大医学部在学中に処女作を発表した。リルケがこの時期の、安部が自ら認めている影響関係だが、このころすでに花田清輝の主唱する、戦後日本におけるアヴァンギャルド芸術の運動が安部公房を捉《とら》え始めている。二十四年に発表した『デンドロカカリヤ』がその転換を示している。このころ、共産党にも入党した。さらに二年後には『壁—S・カルマ氏の犯罪』で芥川《あくたがわ》賞を受けた。この短編集の諸編はその線の延長上に生れている。以後、今日まで安部公房は、共産党との袂別《べいべつ》はあったが、アヴァンギャルド芸術家の自負において は変っていない。

のちに安部公房の名は『砂の女』『他人の顔』など長編小説の作家として国際的になってくるが、それまでの彼は短編作家であった。その理由はアヴァンギャルドとしての彼が最初に創作の原理としたことと関わりがある。短編作家としての安部公房は、心境小説的なスケッチの作家とは対蹠《たいせき》的な、発想の作家である。発想こそは安部公房の作品の生命であり、発想の瞬間にすべてが決っているといったふうに彼の作品は書かれる。アヴァンギャルドとはまず発想の転換だと言って間違いあるまい。

アヴァンギャルド（前衛）という言葉は、もともと革命家の言葉である。変革の時代には、自覚した知識人が大衆運動の前衛となって、未来を見透し、実践を推進しなければならない。芸術家は芸術の変革をもって、大衆の意識の変革を促すべきである。こういう言わば〝文化革命〟の思想が、アヴァンギャルド芸術の思想と呼ばれた。これはとくにコミュニストの用語であった。そこで当然、意識の、つまり発想の百八十度転換を要求される。ブルジョア意識からプロレタリヤ意識へと言えば、ミもフタもなくなってしまうが、とにかく、まず出発点を百八十度転換する必要があると考えられた。

この転換は、実は戦前のプロレタリヤ文学運動の中でも論じられたことだった。しかし発想のでなく、素材の転換に傾いていた。安部公房の出発点は、それをこそ百八十度転換させることにあった。それには花田清輝というユニークな理論家の影響を言わなければならない。花田の思想もまた、理解しやすいというわけにはいかないが、一つの引用にすべてを語らせたい。

〈ルネッサンス以来、ヨーロッパでは、生命のあるものを極度に尊重する傾向があり、鉱物よりも植物が、植物よりも動物が——殊《こと》に動物のなかでは人間が、一段とすぐれたもののようにみなされてきたようだが、むろんこれは人間的な、あまりにも人間的な物の見方であり、近代の超克は、われわれがこういう人間中心主義を清算し、無生物にはげしい関心をもち、むしろ鉱物中心主義に転向しないかぎり、とうてい実現の見込みはなかろう〉

これは花田清輝の『アヴァンギャルド芸術』に収録されている『ドン・ファン論』の一節である。きわめて逆説的な言い方で、精密に論ずるなら問題はある。しかしこの思想の生命は発想のダイナミックな転換を迫る、その発想自体のダイナミズム（力学）にあるだろう。いわゆるヒューマニズムを強調する左翼とは正反対に、即物性強調の左翼主義を花田は標榜《ひょうぼう》したのである。花田の「夜の会」の運動に属しながらおこなわれた安部公房の発想の百八十度転換も、人間中心主義の清算と即物性の強調という点で、花田理論につながっている。ＳＦ的な科学的発想を持っていること、文体から湿り気が抜けていることは、そのせいである。湿り気とは、主観の深層に入ったり観念の暗示に力を注いだりということだ。

以下、この本の十二の短編について、その独自の発想の軸を簡単に解説してみることにする。転換された安部公房的新発想の大前提は、いま指摘したとおり、彼が湿っぽいと考えたはずの人間中心主義へのアンチである。言い換えると、一切の既成観念を覆《くつがえ》すということが小説家安部公房の実践原則である。文学者にとって、既成観念を覆すということには多くの問題があるところだが、安部公房は彼流にそれをやる。彼流のやり方として、十二の短編から読み取れることを列記すれば、次のようになるだろう。

一、動物・植物・鉱物を人間と同列に置くこと。このことから、人間と動物・植物・鉱物を互いに変換したり、人間をそれらに変形させたりという発想が生れる。二、観念あるいは精神には物質あるいは肉体を対置させる。正確に言えば、後者を優位に置くということ。「生活が意識を規定する」というマルクスの言葉のように。そこから、生に対して死を、または死という観念に死体を、という発想が生れる。三、現在に対して未来を対置する。現実とは、いまだない、あるべきもののヴィジョンに照らし出される時にだけ真の姿を現わすと言うべきか。それとも、こう言った方がいいかもしれない、安部公房の考える百八十度転換は、文学の、芸術の、想像力の転換であり、人間活動のこの領域では、いまだないものの透視《ヴィジョン》と関わることだけがリアルなのだと。四、すべての既成観念の転換ということのもっとも具体的で根本的な問題は、共同体の問題となる。国家という問題が二十世紀の最大問題であるように。安部公房は共同体と個人、全体と個という問題を解くために、いかなる共同体からも脱出し失《しっ》踪《そう》する自由という発想をする。この問題は十二編の中では、まだ大きく現われてはいないが。

以上の安部公房的発想の、まだ大きくはないが味わいは確かな結実である各短編を、簡単に見て行こう。

一の発想を含んでいるものにまず人間がロボット（機械・鉱物）になる『Ｒ６２号の発明』がある。単なる人間対機械でなく、機械になった人間が機械を発明して人間に復讐《ふくしゅう》するというところに、安部流の二元連立方程式の少しこみいった解き方がある。『棒』は人間の植物——というよりは事物——への変形を主題としており、また観念の物質化というこの発想原則にも従っている。人間の物化・道具化という疎外《そがい》の観念から、棒になった人間をつくり出している。『犬』は動物対人間という発想であるが、犬が犬の姿のまま人間に進化するという筋は、カフカの人間に進化する猿の話、『学士院へのある報告書』を思わせる。『盲腸』も一の発想であり、動物＝人間という混合形への変身は『R62号の発明』と重なりがある。この二作はまた、肉体つまり物質的条件（マルクス流に言えば生活）が思想、意識を規定するという公理の応用でもある。どちらも一種のSF的未来物語と見ることが可能な側面を持っている。つまり現代科学の野心から言って未来にありうることを利用しているわけだが、それらの話の結論からみれば、安部公房の〈人間中心主義〉へのアンチは決して非人間主義ではなく、人間の運命という問題意識を中心に据えたものであることがわかるだろう。この動物・植物・鉱物主義は、その問題意識において人間主義的である。第三の発想原則、現在には未来をという方式が、このように、安部公房においては未来ものSFによく見られるオプチミズムとは無縁のものであることは、見逃すことができない。未来の植物人間が出てくる『鉛の卵』でも、小説というフィクショナルな装置で作者が実行しているのは、今日の人間が疑わずに持っている諸観念の大胆な検証ということである。それを目的として、大胆な未知数と函数《かんすう》関係を立て、方程式を見出《みいだ》してそれを解いていく装置と道筋が、安部公房にとっての小説なのである。

この諸観念の実験装置の一つの仕掛けに、発想原則の二の後半に述べた〈死〉の問題がある。それには二つの形態があって、一つは死者が生者のように取り扱われる形、もう一つは食人の問題である。前者はこの世を逆に――死者の側から――見ることが狙《ねら》いで、その例には『変形の記録』と『死んだ娘が歌った……』の二つがある。この二作には、はからずも現実的な事件に対応する材料が入っている。『変形の記録』では敗戦期に、満洲の荒野を逃げる軍人のトラックであり、『死んだ娘が歌った……』では戦後日本社会の底辺をさ迷って自殺する娘である。ドキュメンタルな材料だが、これらもアヴァンギャルドの手法で見つめられる。花田・安部らの芸術運動の中で、ドキュメンタリズムつまり記録文学の運動は、戦後の現実との交渉に従って出てきた。それも安部公房にとっては、美術のジャンルに対応させれば抽象か非具象の行き方であるアヴァンギャルドの発想と嚙《か》み合せて初めて題材となるものであった。『鏡と呼子』にも同じような、ドキュメンタリズムとアヴァンギャルドの結びつきが見られる。この作品の中心問題に、発想原則の四としてあげた共同体の問題が、十二編のうちにただ一つだけ出ている。これが『砂の女』以後の長編作家安部公房の中心主題となるものである。

『鍵《かぎ》』と『耳の値段』とは、発想原則の四項のうちにうまくあてはまらないが、いずれも譬《たと》え話に具象性を持たせるという原理に従っている。安部公房の小説の世界はすべて、ぼくらが日常やっている譬え話に具象的像を与えたものである。この本の十二編は奇抜で面白く、辛辣《しんらつ》だが、寓話《ぐうわ》的な話の世界である。長編となりえない理由は、現実的な状況と強く嚙み合う長編の方法がまだ見出されていないということである。『鉛の卵』から五年後の『砂の女』でその大きな成長が果されるだろう。

（昭和四十九年五月、文芸評論家）

安部公房著

他人の顔

ケロイド瘢痕を隠し、妻の愛を取り戻すために他人の顔をプラスチックの仮面に仕立てた男。――人間存在の不安を追究した異色長編。

安部公房著

壁

戦後文学賞・芥川賞受賞

突然、自分の名前を紛失した男。以来彼は他人との接触に支障を来し、人形やラクダに奇妙な友情を抱く。独特の寓意にみちた野心作。

安部公房著

飢餓同盟

不満と欲望が澱む、雪にとざされた小地方都市で、疎外されたよそ者たちが結成した〝飢餓同盟〟。彼らの野望とその崩壊を描く長編。

安部公房著

第四間氷期

万能の電子頭脳に、ある中年男の未来を予言させたことから事態は意外な方向へ進展、機械は人類の苛酷な未来を語りだす。SF長編。

安部公房著

水中都市・デンドロカカリヤ

突然現れた父親と名のる男が奇怪な魚に生れ変り、何の変哲もなかった街が水中の世界に変ってゆく……。「水中都市」など初期作品集。

安部公房著

無関係な死・時の崖

自分の部屋に見ず知らずの死体を発見した男が、死体を消そうとして逆に死体に追いつめられてゆく「無関係な死」など、10編を収録。

安部公房著　人間そっくり

《こんにちは火星人》というラジオ番組の脚本家のところへあらわれた自称・火星人――彼はいったい何者か？　異色のＳＦ長編小説。

安部公房著　燃えつきた地図

失踪者を追跡しているうちに、次々と手がかりを失い、大都会の砂漠の中で次第に自分を見失ってゆく興信所員。都会人の孤独と不安。

安部公房著　砂の女　読売文学賞受賞

砂穴の底に埋もれていく一軒屋に故なく閉じ込められ、あらゆる方法で脱出を試みる男を描き、世界20数カ国語に翻訳紹介された名作。

安部公房著　箱男

ダンボール箱を頭からかぶり都市をさ迷うことで、自ら存在証明を放棄する箱男は、何を夢見るのか。謎とスリルにみちた長編。

安部公房著　密会

夏の朝、突然救急車が妻を連れ去った。妻を求めて辿り着いた病院の盗聴マイクが明かす絶望的な愛と快楽。現代の地獄を描く長編。

安部公房著　笑う月

思考の飛躍は、夢の周辺で行われる。快くも恐怖に満ちた夢を生け捕りにし、安部文学成立の秘密を垣間見せる夢のスナップ17編。

大江健三郎著

死者の奢り・飼育

芥川賞受賞

黒人兵と寒村の子供たちとの惨劇を描く「飼育」等6編。豊饒なイメージを駆使して、閉ざされた状況下の生を追究した初期作品集。

大江健三郎著

われらの時代

遍在する自殺の機会に見張られながら生きてゆかざるをえない〝われらの時代〟。若者の性を通して閉塞状況の打破を模索した野心作。

大江健三郎著

芽むしり仔撃ち

疫病の流行する山村に閉じこめられた非行少年たちの愛と友情にみちた共生感とその挫折。綿密な設定と新鮮なイメージで描かれた傑作。

大江健三郎著

性的人間

青年の性の渇望と行動を大胆に描いて波紋を投じた「性的人間」、政治少年の行動と心理を描いた「セヴンティーン」など問題作3編。

大江健三郎著

同時代ゲーム

四国の山奥に創建された《村＝国家＝小宇宙》が、大日本帝国と全面戦争に突入した!? 特異な構想力が産んだ現代文学の収穫。

大江健三郎
古井由吉 著

文学の淵を渡る

私たちは、何を読みどう書いてきたか。半世紀を超えて小説の最前線を走り続けてきたふたりの作家が語る、文学の過去・現在・未来。

三島由紀夫著

仮面の告白

女を愛することのできない青年が、幼年時代からの自己の宿命を凝視しつつ述べる告白体小説。三島文学の出発点をなす代表的名作。

三島由紀夫著

花ざかりの森・憂国

十六歳の時の処女作「花ざかりの森」以来、巧みな手法と完成されたスタイルを駆使して、確固たる世界を築いてきた著者の自選短編集。

三島由紀夫著

愛の渇き

郊外の隔絶された屋敷に舅と同居する未亡人悦子。夜ごと舅の愛撫を受けながらも、園丁の若い男に惹かれる彼女が求める幸福とは？

三島由紀夫著

鏡子の家

名門の令嬢である鏡子の家に集まってくる四人の青年たちが描く生の軌跡を、朝鮮戦争直後の頽廃した時代相のなかに浮彫りにする。

三島由紀夫著

春の雪

（豊饒の海・第一巻）

大正の貴族社会を舞台に、侯爵家の若き嫡子と美貌の伯爵家令嬢のついに結ばれることのない悲劇的な恋を、優雅絢爛たる筆に描く。

三島由紀夫著

葉隠入門

〝わたしのただ一冊の本〟として心酔した「葉隠」の濶達な武士道精神を現代に甦らせ、乱世に生きる〈現代の武士〉たちの心得を説く。

阿川弘之著　春の城　読売文学賞受賞

第二次大戦下、一人の青年を主人公に、学徒出陣、マリアナ沖大海戦、広島の原爆の惨状などを伝えながら激動期の青春を浮彫りにする。

阿川弘之著　雲の墓標

一特攻学徒兵吉野次郎の日記の形をとり、大空に散った彼ら若人たちの、生への執着と死の恐怖に身もだえる真実の姿を描く問題作。

阿川弘之著　山本五十六（上・下）　新潮社文学賞受賞

戦争に反対しつつも、自ら対米戦争の火蓋を切らねばならなかった連合艦隊司令長官、山本五十六。日本海軍史上最大の提督の人間像。

阿川弘之著　井上成美　日本文学大賞受賞

帝国海軍きっての知性といわれた井上成美の戦中戦後の悲劇――。「山本五十六」「米内光政」に続く、海軍提督三部作完結編！

小川洋子著　博士の愛した数式　本屋大賞・読売文学賞受賞

80分しか記憶が続かない数学者と、家政婦とその息子――第1回本屋大賞に輝く、あまりに切なく暖かい奇跡の物語。待望の文庫化！

小川洋子　河合隼雄著　生きるとは、自分の物語をつくること

『博士の愛した数式』の主人公たちのように、臨床心理学者と作家に「魂のルート」が開かれた。奇跡のように実現した、最後の対話。

新潮文庫の新刊

隆慶一郎著
花と火の帝（上・下）
皇位をかけて戦う後水尾天皇と卑怯な手を使う徳川幕府。泰平の世の裏で繰り広げられた呪力の戦いを描く、傑作長編伝奇小説！

一條次郎著
チェレンコフの眠り
飼い主のマフィアのボスを喪ったヒョウアザラシのヒョーは、荒廃した世界を漂流する。愛おしいほど不条理で、悲哀に満ちた物語。

大西康之著
起業の天才！
―江副浩正　8兆円企業リクルートをつくった男―
インターネット時代を予見した天才は、なぜ闇に葬られたのか。戦後最大の疑獄「リクルート事件」江副浩正の真実を描く傑作評伝。

徳井健太著
敗北からの芸人論
芸人たちはいかにしてどん底から這い上がったのか。誰よりも敗北を重ねた芸人が、挫折を知る全ての人に贈る熱きお笑いエッセイ！

永田和宏著
あの胸が岬のように遠かった
―河野裕子との青春―
歌人河野裕子の没後、発見された膨大な手紙と日記。そこには二人の男性の間で揺れ動く切ない恋心が綴られていた。感涙の愛の物語。

帚木蓬生著
花散る里の病棟
町医者こそが医師という職業の集大成なのだ――。医家四代、百年にわたる開業医の戦いと誇りを、抒情豊かに描く大河小説の傑作。

R62号《ごう》の発明《はつめい》・鉛《なまり》の卵《たまご》

新潮文庫　あ－4－9

昭和四十九年　八月二十五日　発行
平成二十二年　四月十五日　三十六刷改版
令和　六　年十二月　十　日　四十七刷

著者　安《あ》部《べ》公《こう》房《ぼう》
発行者　佐藤隆信
発行所　株式会社　新潮社

郵便番号　一六二―八七一一
東京都新宿区矢来町七一
電話　編集部(〇三)三二六六―五四四〇
　　　読者係(〇三)三二六六―五一一一
https://www.shinchosha.co.jp

価格はカバーに表示してあります。

乱丁・落丁本は、ご面倒ですが小社読者係宛ご送付ください。送料小社負担にてお取替えいたします。

印刷・大日本印刷株式会社　製本・加藤製本株式会社

ISBN978-4-10-112109-3 C0193